ホスト！・立ちんぼ！・トー横！

オーバードーズな人たち

～慶應女子大生が歌舞伎町で暮らした７００日間～

佐々木チワワ

講談社

装幀　井上則人　／　装画　浅野いにお

はじめに

「歌舞伎町の時事ネタを連載でやりませんか」

ライター・佐々木チワワとして活動を始めて間もない頃からお世話になっている編集者から連絡が来たのは、デビュー作『「ぴえん」という病』の第一稿が完成した頃だった。『FRIDAY』に私が初めて「トー横キッズ」について執筆したのが2021年の6月。ホストクラブを中心とする歌舞伎町の社会学を研究するなかで、飲みの席で編集者に「こういう奴《やつ》らがいるんですよ」ともらしたのが始まりだった。

「佐々木さんが普通だと思って話していることが、実は特殊で面白くて、他の人が知らない場合がたくさんありますよ」と編集者は言った。思い返せば確かにそうである。一年に1回くらいは知り合いが逮捕され、好きな男のために身体を売ったら「よくやった、偉い」なんて言われるのは世間一般の普通ではない。大学の授業中に、馴染《なじ》みのホストから

「俺のお客さんが立ちんぼで捕まっちゃったから、代わりにお金使ってくれない？」と、ＬＩＮＥが来る女子大生なんて私の周りにはいない。

８年前、堅苦しい高校生活から逃れるために駆け込んだ歌舞伎町で、幼稚園から都内にある国立の幼～高大一貫校に通っていた私は衝撃を受けた。そして、自分がいままで「普通の子たちの集まり」と思っていた母校が、いかに剪定された場所であり、いかに自分が狭い箱庭で暮らしていたかを思い知った。ここでは学歴がすべてではない。出会ってきた歌舞伎町の人々は、出身地も生い立ちもすべてがバラバラだった。過去なんて関係ない。歌舞伎町はどんな人間にも「出場」資格があり、名をあげるチャンスをつかみ取ることができる。究極の敗者復活戦の場にもなるのである。

幼稚園生の頃から、電車とバスを乗り継いで通園、通学していた私は、地元のコミュニティに所属していない。公立小の私服の子供たちが、学校終わりに近所で遊んでいるのを尻目に、紺色の制服の裾をギュッと握ってひとり家路に就いていた。自分の生活圏に、たまたま知り合いや友人がいる世界を想像できなかったのだ。

歌舞伎町に来て８年。いまやすっかり歌舞伎町は私の〝地元〟である。歌舞伎町で働く人は大抵が近くに住んでいる。「歌舞伎で飲んでるなう」なんてつぶやけば、たちまち知り合いが集まってくるし、お気に入りの飲食店で知り合いに遭遇して２軒目は一緒に行く、なんて流れが何度あったかわからない。歌舞伎町の街とそこで働く人を中心に形成されたコミュニティは、世間一般と少しだけ違うルールで成り立っていて、同じ「歌舞伎町民」にとても優しい学区のような場所だ。そんな街では絶えず面白い出来事から、ワイドショーを賑《にぎ》わせる事件まで頻繁に何かが起きている。本書はそんな日本一の歓楽街を、一番落ち着く街として好む特異な女子大生による観察日誌である。

目次

真鍋昌平
Manabe Shohei
×
佐々木チワワ
Sasaki Chiwawa

※
本書、本文中の表記や名称、人物年齢などは
連載当時の情報による

第1章

春、海老蔵にブチギレるパパ活女子

2022年2月で22歳を迎えた私は、まだ大学3年生だった。周りが次々と大学卒業後の進路を決めていくなか、進路を考えるどころか卒業もできていなかったのだ。将来が定まらないくせに、書籍を出したおかげで目先の仕事に忙殺されていた。慣れない街での取材の後、足が向くのはやっぱり歌舞伎町。22歳の誕生日を大きな花束で祝ってくれたホストの彼とは、結局翌年は一緒にいることはできなかった。

2022年1月4日

エロ配信とデリヘルで稼ぐ現役東大生

筆者はSNSでもさまざまな歌舞伎町の住人たちと交流をしているが、なかでもひときわブッ飛んでいるのが、半年前にSNSで知り合ったマコ(20・仮名)という子だ。都内の有名進学校を卒業後、現役で東大に進学。超がつくエリート街道を歩む現役女子大生だが、エロ配信で稼いだ後、現在は歌舞伎町のデリヘルで働いているというツワモノである。

マコが「チャットレディ」を始めたのは東大入学後まもない2020年のことだ。チャットレディとは、ネットでつながった客に動画や音声のライブ配信などをする仕事である。

「親がわりと厳しくて、大学生なのにお小遣いを月に4000円しかもらってなくて。バイトも禁止されていたので、当然、遊ぶお金が足りない。東大卒の友人がチャットレディをやって稼いでいるのを知って、私も調べて始めました」

マコは客のリクエストに応えて自慰行為などの姿を配信していたという。

「中学時代からぼんやりと、そういう仕事をやってみたいなという願望があったんです。

実際にやって思ったんですけど、エロ配信って受験と似てるんですよ。やればやるほど結果が出て、売り上げという数字で自分に価値がつく感じが（笑）」

チャットレディには一対一で通話をして稼ぐ手法と、ライブ配信による同時接続数とチップによって稼ぐ手法がある。一対一は確実に収入になるが固定時給。一方、ライブ配信は人気になれば視聴者数に比例してどんどん時給が上がる。人気配信者となるため、マコはいろんなライブチャットサイトを試し、配信の内容を工夫した。

「チャットレディって相手に触れないからこそ、女の子がどんな過程で気持ちよくなるか、エロくなるかのストーリーを売るんですよ。素人の子がだんだん目覚めてきて、潮吹きまでしちゃうみたいな。潮吹きとか映像映えするのはやっぱウケますよね。私も撮影前にめっちゃ水飲んで頑張ってました。

チャットレディを始めてしばらくしたあと、いわゆる『夜職垢《よるしょくアカ》』を作りました。夜の仕事（夜職）をしている子が情報発信するアカウントです。仕事の話で共感したり、学べたり、他の夜職の子と交流していくなかで、別の業種もやってみたくなった。それでいまは歌舞伎町のデリヘルに在籍しています。近いうちにソープもチャレンジしようと思っています」

現役東大生と聞くと、受験勉強のストレスやエリートゆえの葛藤からこうした仕事に就いた、というストーリーを描きたくなる。だがマコは、「そんなんじゃないです」とあっけらかんと語る。

「ウチ、両親はどっちも東大のザ・東大一家なんです。ただ、二人とも頭はいいけど変わり者で、けっこう自由に生きてきたタイプ。どんな業界でも最終的に結果を出せばいいという考え方だから、私のしていることにも口は出さない。私もこの業界に足を踏み入れたからにはちゃんと結果を出したいって思っている。まあさすがに、親に具体的に何をして稼いでいるかは内緒にしていますけどね」

そんなマコは現在、大学で教育心理学を学んでいる。

「いまって、人がシステムを回すための代替可能な部品になっていると思うんです。どれだけ数字で結果を残したか、というところに存在価値が集約している。私自身が視聴者数

マコは東大の友人にも風俗で働いていることは隠していない。チャットレディとして時給4万円を稼いだこともあるという

や指名客の数で価値が決まる仕事をしてきたから、よくわかるんです。でも本当は、人は生きているだけで価値がある。それを伝えることができるのが教育だと思って、勉強しています。周りの夜職の子たちにも、いつか教えてあげられたらいいなと思っています」

卒業後は官僚になりたいというマコ。彼女の将来が楽しみである。

1月14日

無法地帯で夢を語る19歳のトー横キッズ

2021年を大いに賑わせた「トー横キッズ」。いまや「トー横」は無秩序な未成年が集まる危険地帯として取り上げられがちだが、何も最初からそうだったわけではない。キッズたちは2018年頃から、新宿・歌舞伎町に現れ始めた。もともとはツイッターなどのSNS上でつながっていた「自撮り好き」の若者たちが、リアルで交流するために歌舞伎町のTOHOシネマズ新宿横をたまり場に選んだのがきっかけだった。〈お洒落《しゃれ》さんと繋《つな》がりたい〉などのハッシュタグを添え交流する彼らは、「自撮り界隈《かいわい》」を自称していた。

〝地雷系〟と呼ばれる黒を基調としたファッションに身を包み、路上ででんぐり返しをしたり花火をしたりして遊ぶ未成年は、歌舞伎町に以前からいた大人たちから「年齢的にも金銭的にも路上で遊ぶしかない子供」と揶揄《やゆ》された。その結果、「トー横キッズ」と呼ばれるようになったのだ。一方、「キッズ」と呼ばれることに彼らは抵抗を覚え、自らを

「トー横界隈」と名乗るようになった。

そんなトー横は、「ＴｉｋＴｏｋ」の流行とともに２０２１年頃から徐々にメジャーな存在になっていく。家庭や学校に居場所のない少年少女にとってトー横は「流行の発信地」であり、憧れの場所となった。実際、「ドン・キホーテ」のキャラクターＴシャツを着た〝ドンペンコーデ〟がトー横発で流行し、全国的にドンペングッズの売り上げが伸びたこともある。２０２１年に入ると、コロナ禍で家庭に閉じ込められていた多くの未成年がトー横に集まるようになった。

心に闇を抱えた未成年が集まれば、やることも徐々に過激になっていく。当初はせいぜい路上飲酒をする程度だったが、集団ＯＤ（オーバードーズ、薬物の過剰摂取）や集団リストカットといった、いわゆる「闇カルチャー」も増えていった。

人数が増えるとともに、キッズが集まる場所も変わった。それまではＴＯＨＯシネマズ新宿横の路上がたまり場だったが、２０２１年夏頃からすぐ隣の歌舞伎町シネシティ広場（旧・コマ劇場前広場）へと移っていった。もともと「広場」はクラブ帰りの若者やホームレス、半グレまがいのグループが集まる場所である。キッズと従来の歌舞伎町の住人たちとが交じり合い、さらにメディアがトー横をこぞって取り上げ始めたことで、トー横の無法地帯化は歯止めが利かなくなっていった。「居場所のない未成年が集まる場所」として大人たちに認知され、事件が頻発するようになったのだ。

２０２１年5月には心中事件に未成年誘拐、10月には21歳の男が児童買春で逮捕され、11月にはキッズを含むグループがホームレスをリンチして殺害する事件まで起きた。以前からトー横にいるという地雷系ファッションの19歳の少年は、こうこぼした。

「広場に移る前は、ＯＤもせいぜいブロン（せき止め）などの市販薬を飲む程度だった。けど、広場に来てからサイレース（不眠症の処方治療薬）とか大麻が売られるようになってタチが悪くなってきた。集まっていると、輩《やから》みたいなヤツも交ざってくるようになって……」

事件が頻発したことで、警察は取り締まりを強化している。いまではもう、キッズを歌舞伎町で見かけることはほとんどなくなった。再び居場所を失った彼らはどこへ行くのか。少年はこう続けた。

「前は俺らだけで生きていたのに、いまは大人が介入してきて、勝手にルールを創って従わせようとするのがウザすぎる。だから、俺たちでもう一度別の場所に界隈を創る。今度こそ大人に邪魔されないようにしたいっすね。だからいま、いろんな場所を下見してます。中心になるカリスマ性のある奴さえいれば、どこでも界隈は創れるから」

俺たちだけで新しい界隈を……。はたしてキッズたちの青臭いこの計画は、うまくいくのだろうか。

以前のトー横。犯罪が頻発したことにより、警察が取り締まりを強化。
キッズたちは完全に姿を消した（写真・結束武郎）

1月14日

歌舞伎町のラブホ街で「膣ドカタ」を自称する女性

システムエンジニアなどのＩＴ技術者を指す、「ＩＴドカタ」という言葉をご存じだろうか。不安定かつ厳しい労働環境で働く者を土木作業員（＝ドカタ）にたとえる傾向は、ＩＴ業界だけでなく、歌舞伎町の夜職の女性の間でも広まっている。それを表すのが、「膣《ちつ》ドカタ」という言葉だ。

この言葉は、２０１６年末に突如ツイッター上に現れた「暇な女子大生」なるアカウントが発祥とされる。現役慶應女子大生を名乗るこのアカウントは、「Ｔｉｎｄｅｒ」などのマッチングアプリで出会ったハイスペック男性（高学歴や高収入男性のこと）とのセックス事情を「ちんぽの食べログ」として投稿。さらに、肉体労働者のごとく性行為に勤《いそ》しむ自身のことを「膣ドカタ」と称した。

「暇な女子大生」は２０１８年末に更新を停止しているが、彼女が残した「膣ドカタ」というワードは、その後、身体を使って稼ぐ女性の間で広く使用されるようになった。たとえば、パパ活ではこれまで、男性と肉体関係を結ぶことを「大人」と呼ぶケースが多かった。しかし最近は、「大人」のことを「ドカタ」と呼ぶケースが増えてきている。筆者の個人的な感想だが、「大人」よりも女性側の覚悟や潔さが感じられて好感が持てる。

　また、ソープやデリヘルなどの風俗業で働く女性の間では、自虐的に使われることもある。ツイッターを覗《のぞ》いてみると、「当方、膣ドカタです」「最近膣ドカタしすぎてま○こが擦り切れる」などのつぶやきが数多く

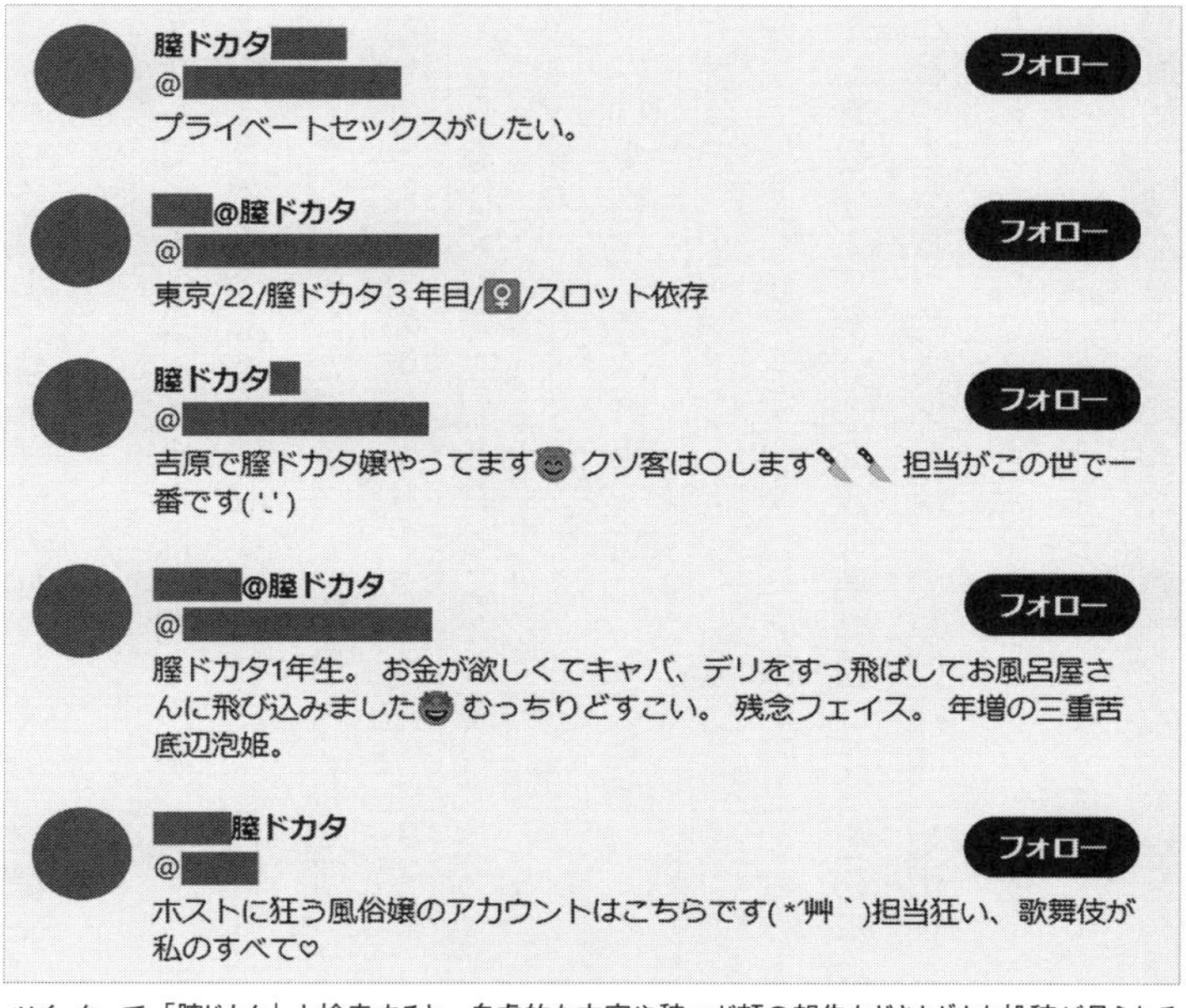
膣ドカタ[redacted]
@[redacted]
フォロー
プライベートセックスがしたい。
[redacted]@膣ドカタ
@[redacted]
フォロー
東京/22/膣ドカタ３年目/♀/スロット依存
膣ドカタ[redacted]
@[redacted]
フォロー
吉原で膣ドカタ嬢やってます クソ客は○します 担当がこの世で一番です(˙꒳˙)
[redacted]@膣ドカタ
@[redacted]
フォロー
膣ドカタ1年生。 お金が欲しくてキャバ、デリをすっ飛ばしてお風呂屋さんに飛び込みました むっちりどすこい。 残念フェイス。 年増の三重苦底辺泡姫。
[redacted]膣ドカタ
@[redacted]
フォロー
ホストに狂う風俗嬢のアカウントはこちらです(*´艸｀)担当狂い、歌舞伎が私のすべて♡

ツイッターで「膣ドカタ」と検索すると、自虐的な内容や稼いだ額の報告などさまざまな投稿が見られる

見られる。客との枕営業をしているキャバ嬢を指し、別のキャバ嬢が「あいつは膣ドカタで売り上げを立てている」と揶揄するケースもある。

とはいえ、膣ドカタという言葉が流行しているのは、若い女性の間での話。ツイッター上では、本物の土木作業員の男性と女性との間でこんなやり取りがあったこともある。あるパパ活女子が「ドカタで今日は20万」とつぶやいたところ、「俺は1ヵ月頑張っても20万もらえない……どこの職場？」と、土木作業員の男性がリプライを送ったのだ。

ちなみに、膣ドカタはSNS上で、こんな絵文字で表現されることが多い。ハンマーとツルハシを組み合わせた「⚒」という絵文字だ。

「⚒」でツイッターを検索すると、その仕事模様があふれ出てくる。たとえば、

「定期Pと⚒5からの在籍🛁8時間でギリギリ10超えた」

というツイート。これを翻訳すると、「定期的に会っているパパ活相手の男性と膣ドカタをし、5万円をもらった後に勤め先であるソープランドに8時間出勤した。それによって今日の収入はギリギリ10万円」となる。こうした絵文字を使っての投稿は、140文字という字数制限のあるツイッターの特質によって広まったと見られる。

せっかくなので、パパ活用語も解説したい。パパ活相手のことは「P」と呼ぶ。「定期P」に対して「新規P」は、最近会い始めたばかりのパパのことだ。また、パパ活相手の

ことを「おじ」「おぢ」と呼ぶケースも増えてきている。「おじ」の種類としては、「イケおじ」＝イケてるあるいはイケメンのおじさん、「若おじ」＝パパ活をするには若干若い年齢のおじさん（30代半ばを指す。20代は「若P」と略される）、「キモおじ」＝キモいおじさんなどが存在する。

膣ドカタをしている女性たちは、効率的に大金を稼ぎたいと考えているケースがほとんどだ。彼女たちは自身の仕事をリアルの友人には言えない。だからこそ、略語を使って自身の頑張りをツイッターに投稿し、同じ境遇にいる人と共有しているのである。ツイッター上には今日も、膣ドカタの報告、そしてそれを評価し合う女性たちがあふれている。

1月28日

コロナ禍でホストバブルを嘆く古参ホス狂い

「コロナ禍でホストクラブは大変なんでしょ?」

最近、知人にこう聞かれることが多い。しかし、毎回返す言葉は決まっている。

「いやいや、ホスト業界はいまが一番バブルですよ」

店舗数50以上を誇る歌舞伎町最大手のホストグループ「ｇｒｏｕｐ ｄａｎｄｙ(通称・グルダン)」は、なんと２０２１年一年間で1億円以上を売り上げたホストが30名を超え、グルダン史上最多人数を更新した。さらに２０２１年は、ホスト界歴代最高売り上げとされる２０１９年の3億３０００万円(「冬月グループ」所属・渋谷奈槻《なつき》が打ち立てた)を同グループの降矢《ふるや》まさきが塗り替えた。その額、実に5億２０００万円。これを「ホストバブル」と呼ばずになんと呼べばいいのか。

10年前は年間１０００万円を売り上げたとなったら街で話題になり、他店舗のホストが見学に来るほどだったそうだ。しかし、いまでは１０００万円という額はスタートラインにすぎず、そこからいかにその売り上げを継続して、年間に「億」を売るかがホストたちの指標になっている。筆者自身も、やっとの思いで担当ホストにお金を使い、「これで来月は一緒にのんびりできるかな……」と思ったら、すぐさま「来月もよろしく」と連絡が来る。ホストクラブ通いを数年間続けている友人のメイ（仮名・24）も、こう嘆いていた。

「私は19歳でホストにハマってから、ホストに貢ぐためにずっと風俗で働いてるけど、歳を重ねるごとに風俗はキツくなってくるよね。20歳を過ぎるまでは、若いってだけで価値がついて、出勤さえすればだいたい一日10万円は稼いでた。でもいまは、毎日写メ日記を更新したり、ツイッターで頻繁に宣伝したりしないと客がつかないんだよね……。ホントに時間外労働が増えた！　担当ホストには『パパ活すれば？』って言われてるけど、パパ活は援助交際だからちょっとイヤ。けどホストからしたら、パパ活とかで大金稼げる子じゃないといらないのかな、とも思う。ホストのなかでインフレがどんどん加速して、もう、ひと月に100万円じゃぜんぜん大事にしてくれない」

もともとは有閑マダムの憩いの場だったホストクラブだが、現在では、客の半数以上が風俗嬢やキャバクラ嬢だと言われている。普通の女の子が、ホスト代を捻出するために夜職を始めるケースも多い。

ホストに貢ぐために夜職を始めた彼女たちは、稼いだお金を惜しげもなくつぎ込んでいく。「担当ホストをナンバーワンにしてあげたい」という気持ちももちろんある。ただそれだけでなく、「ホストに莫大《ばくだい》なお金を使う」という行為自体に価値を見出す子が増えており、実際にSNS上では頻繁に散財自慢が行われている。そんな子たちが通っているからこそ、ホスト業界はコロナ禍にもかかわらず、年々インフレを起こしているのだろう。

ホストクラブ側も、そんな客をつなぎ止めておくために努力は惜しまない。「店が楽しい、店でお金を使う価値がある」と思わせるためには、やはり豪華な内装、派手なシャンパンコール、莫大な広告料といった非日常的な空間の演出が重要となってくる。大手ホストクラブはこぞって大型投資をしており、内装費1億円を超える店が現在の歌舞伎町にはあふれている。

オミクロン株の出現によって、営業を自粛しているホストクラブも多いが、それもバブルを止めることにはならないだろう。仕事が休みになったホストたちは客をつなぎ止めるため、一日に何人もの女の子を自宅に呼んでセックスをしたり、時には自分の客が働いているソープに行ったりしてまで枕営業をかけている。

客層の変化やSNSの発達、そしてホスト側の〝営業努力〟……。２０２２年もホストバブルはますます加速しそうだ。

筆者の知人のホスト・粟《あわ》谷《や》麦は4年連続で売り上げ1億円を達成。
「コロナ禍でも売り上げは落ちなかった。バブルは終わらない」と語る

2月4日

悪質「パパ活マニュアル」を売りさばく10代女子

「風俗で一日5万しか稼げなかった私が裏引きだけで月収400万到達するまで」「低スペ芋でもパパ活で3桁引ける方法」……。

夜職の女の子たちのSNSを眺めていると、時折そんな文言が目に付く。投稿を見ると、煌《きら》びやかな背景にシャンパンと札束の写真。どうやらホストクラブで大金を使って豪遊しているらしい。

最近、歌舞伎町界隈で悪質な情報商材が飛び交っている。それは「パパ活マニュアル」というもの。10代後半〜20代前半と思《おぼ》しき若い女の子が、ホストクラブで豪遊している写真とともに、「こんなに稼げるようになった方法」としてパパ活マニュアルを「note」などで販売しているのだ。

「良いパパ・悪いパパ」の見極め方、パパ活をしやすいプロフィールの設定方法、高額を引く方法、めんどくさくなったパパの切り方などなど……。彼女たちはそうしたノウハウを数千~数万円で販売している。高額マニュアルの場合は、LINEなどで販売者と直接相談できるというものもある。

こんな怪しげなマニュアルをいったい誰が買うのかと思うが、買い手はけっこういる。パパ活にあこがれを抱いていたり、ホストに通い始めてお金に困ったりしている若い女の子たちがこぞって購入しているのだ。複数のマニュアルを購入して情報を集めている子もいて、「○○のマニュアルは役に立った」「□□ちゃんの裏引きノート買って実践したら本当に50万引けた! 天才!」といった投稿がツイッターにはあふれている。

まさに典型的な情報商材だが、マニュアルのなかには悪質な内容のものもある。「家賃が払えない」「借金がある」といったウソをつくことを推奨しているなんてものは可愛いほうで、さらにヤバいのは、そもそも販売者がデタラメなマニュアルを売っているケースである。体験談もホストクラブでの豪遊もすべてウソ。虚偽の内容をパパ活マニュアルとして販売し、「マニュアルに数万円程度の先行投資ができない子が100万以上引けるわけないでしょ」とそそのかすのだ。さらには、サクラを利用して「マニュアルを買ったら稼げた」というウソのツイートで宣伝させることまで行われているという。

そういった悪質販売者のなかには、購入した女の子たちを囲い込み、「相談」という名のモラハラや暴言によって仕事を辞めさせたり、我流のパパ活を強要したりする人物もいるそうだ。マニュアルを買ってもうまくいかなかった女の子が販売者に相談した結果、さらに高額なマニュアルを買わされることもあるという。パパ活でおじさんからお金を引こうとした結果、同世代の女の子からカモられてしまうのはなんとも皮肉なものである。

一昔前までは、若い女の子を騙《だま》すのは決まって男たちだった。歌舞伎町のスカウトなどが、「いい仕事あるよ」と言って近づき、夜職を斡旋《あっせん》する。だがいまは、若い女の子が同

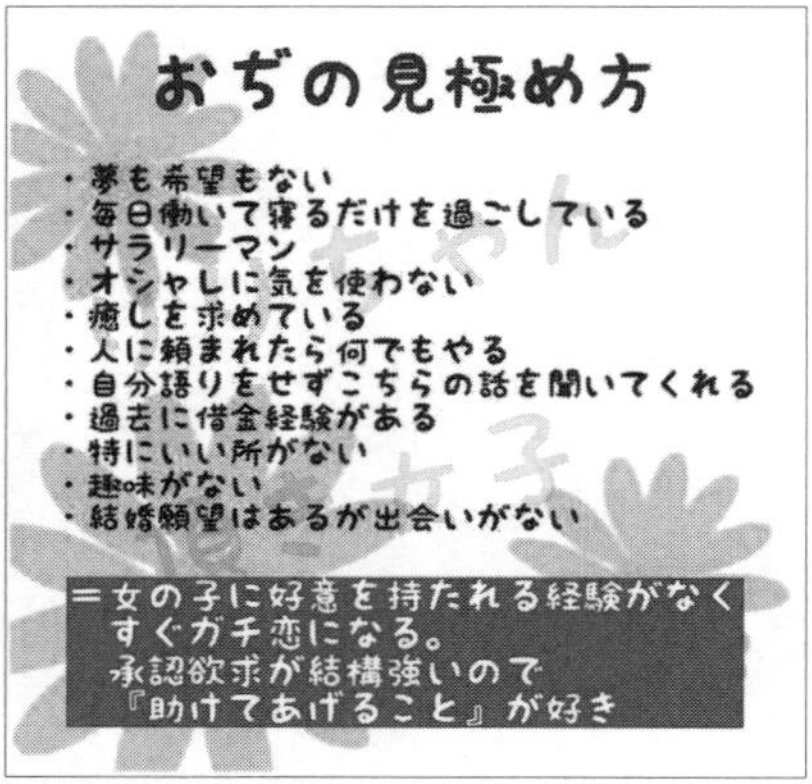
おぢの見極め方
・夢も希望もない
・毎日働いて寝るだけを過ごしている
・サラリーマン
・オシャレに気を使わない
・癒しを求めている
・人に頼まれたら何でもやる
・自分語りをせずこちらの話を聞いてくれる
・過去に借金経験がある
・特にいい所がない
・趣味がない
・結婚願望はあるが出会いがない
＝女の子に好意を持たれる経験がなく
すぐガチ恋になる。
承認欲求が結構強いので
『助けてあげること』が好き

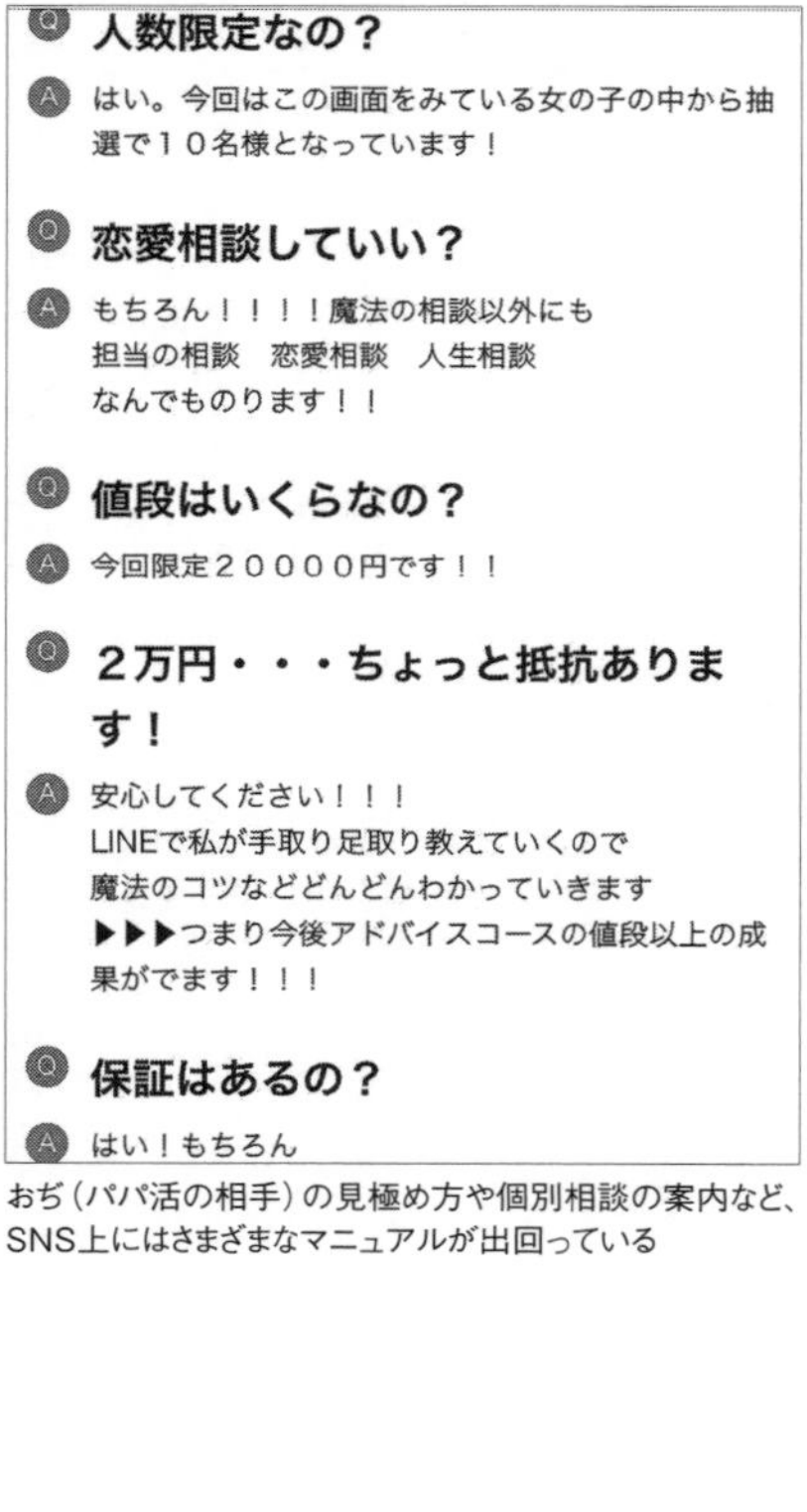
Q 人数限定なの？
A はい。今回はこの画面をみている女の子の中から抽選で１０名様となっています！
Q 恋愛相談していい？
A もちろん！！！！魔法の相談以外にも
担当の相談　恋愛相談　人生相談
なんでものります！！
Q 値段はいくらなの？
A 今回限定２００００円です！！
Q ２万円・・・ちょっと抵抗あります！
A 安心してください！！！
LINEで私が手取り足取り教えていくので
魔法のコツなどどんどんわかっていきます
▶▶▶つまり今後アドバイスコースの値段以上の成果がでます！！！
Q 保証はあるの？
A はい！もちろん

おぢ（パパ活の相手）の見極め方や個別相談の案内など、SNS上にはさまざまなマニュアルが出回っている

世代の女の子からお金を巻き上げるという構図が急増しており、その一つが「パパ活マニュアル」なのである。

では、マニュアルを販売している情報商材屋はどうやってカモを見つけているのか。盛んに活用されているのは、やはりSNSである。夜職やパパ活に興味を持っている女の子にダイレクトに宣伝するため、アカウントが売買されるケースもある。歌舞伎町の有名な風俗嬢やキャバクラ嬢のなかには、数千～数万のフォロワーを持つインフルエンサーも少なくない。そういった人たちに数十万円を支払い、アカウントごと購入する情報商材屋もいるという。

昔から歌舞伎町には、若い女の子を騙そうとする人は大勢いた。だが現在は、同世代の女の子のことまで警戒しなければならない時代なのである。ちなみに、筆者の見る限り、本当に稼いでいるパパ活女子は目立たぬようにひっそりと生息しているものだ。

2月11日

ソープの個室でオンライン授業を受ける女子大生風俗嬢

飲食店をはじめ、さまざまな業界に多大な影響をもたらしたコロナ禍だが、現役女子大生風俗嬢のなかには、コロナの〝恩恵〟を受けている者もいる。

「大学の授業がオンラインになって稼ぎまくっています」

そう語るのは、都内の有名私大に通う大学2年生のミナミ（仮名・19）だ。

「大学の授業は全部オンラインで受けられるものを取っています。ウチの大学はユルいから、決められた日までに授業を見て課題を出せばそれで単位がもらえる。溜《た》めると13時間とかぶっ続けで見ないといけないこともありますが（笑）。一週間のうち2日くらいでまとめて授業を受けて、後の5日間は風俗でガッツリ働いてます」

遊ぶカネが欲しくて風俗店で働き始めたというミナミ。現在は歌舞伎町のソープランドで働いているが、ソープの個室からオンライン授業を受けることもあるという。

「ツイッターを見ていると、『セフレとエッチしたあとにラブホでオンライン授業受けて

（笑）みたいなツイートを見かけるんですけど、はっきり言ってヌルいですよね。こっちはオッサンのち〇こシバく合間に授業を受けてますから。客が来なくてヒマなときは、スマホで授業を流しながら部屋の準備してます。ウチの店舗、Wi-Fiもあるんで。ただ、ZOOMでの対話型の授業をソープの部屋から受けたことがあるんですけど、私がミュート解除してるときに仕事の電話が鳴っちゃって。それからはこちらも参加しなきゃいけない授業は取らないようにしてます（笑）。風俗の出勤を減らさなくてすむから、オンラインはマジで神です。間違いなく、収入はコロナ前より上がっていますね。そもそも、200〜300人が受ける授業をいまさら対面にする必要性あるんですかね？」

都内で授業を受けているミナミはまだ一般的なほうで、女子大生風俗嬢のなかには、地方に「出稼ぎ」に出る者までいる。コロナ前は歌舞伎町のデリヘルで働いていた大学3年生のアユミ（仮名・20）が語る。

「コロナ禍になってからは、ほとんど地方で稼いでいますね。一週間行ったら1〜2日休んで、またすぐ次の地方に飛ぶって感じです。北海道から沖縄まで、いろんなとこに行ってますよ〜」

風俗における出稼ぎは、ここ数年で定着してきた働き方である。自宅から通い、好きな日に出勤する「在籍」だと給料は歩合制、つまり、どれだけ客がついたかによって変わってくる。一方で出稼ぎには、「保証」というものがつく。仮に客がつかなくても、時間に応じて店舗から最低限の給料をもらえるというシステムだ。

稼ぎが計算できるというメリットに魅力を感じ、最近では在籍を持たずに出稼ぎだけで生活する風俗嬢も増えてきている。アユミも大学の授業がオンラインになったのを機に、勤務形態を出稼ぎに切り替えた一人だ。

「仕事が休みの日は観光してっていうノマドワーカーみたいな働き方してます。ノマド風俗嬢（笑）。いろんな地方のご当地グルメを満喫しつつ、お客さんを通して県民性を見るのはちょっと楽しい。出稼ぎの何がいいって、ま

ず第一に散財するタイミングがないこと。ホストクラブとかにも行かないから、貯金が貯まる一方なんですよ。それと、店舗に出勤する手間がかからないというのもメリットですね。出稼ぎだと、寮かホテルで着替えて化粧をして待っていれば、仕事が入ると下に車が迎えに来てくれるので。仕事に行っていない時間を、大学のオンライン授業や課題に充ててます。さすがにぶっ通しで接客した後の授業は疲れますけどね（笑）」

コロナ禍によって、ネット環境さえあればどこでも大学生活を送れるようになったことで、女子大生風俗嬢の稼ぎ方も激変した。とはいえ、この状況がいつまでも続くわけではない。

すでにいくつかの大学は、今春から授業は対面を前提に行うと発表。コロナ禍をたくましく生きる女子大生風俗嬢たちからは、「いまより稼げなくなるのは、マジ無理なんだけど」といった不満の声もあがっている。

2月18日

ホストクラブの最重要イベント「新年会」で表彰されるホスト

東京が「まん防（まん延防止等重点措置）」適用中であろうとも、歌舞伎町のホストクラブは今日も元気に営業中である。大手と呼ばれるホストクラブの従業員数は、各店舗につき約80人。客も含めると100人を優に超える人間たちがギッシリと店に並び、毎夜、酒をあおっている。

そんななか、2月中旬には、都内高級ホテルの宴会場を貸し切りにして、一大イベントが開催された。大手ホストグループの新年会だ。

会が始まったのは、まだ明るい午後3時。普段は夜型のホストたちが、眠い目をこすりながらぞろぞろと会場に入っていく。業界トップクラスの大手グループの新年会だけあり、集まったホストは、ざっと400人くらいだろうか。ド派手なオープニングムービーが大音量で流された後、かつて歌舞伎町を肩で風を切って歩いていたであろう渋いオーナーが乾杯の挨拶をして新年会はスタートした。

新年会のメインイベントは、昨年多額の売り上げを叩き出したホストの表彰だ。名前が呼び上げられたホストが颯爽《さっそう》と花道を歩いて壇上に登ると、店舗ごとに分かれたテーブルからは大歓声が沸き起こる。マイクの前で喜びを語った後、表彰されたホストの顔と売り上げが刻まれた旗を掲げた仲間たちから次々と胴上げされていた。

壇上に上がったホストの一人は、

「ホストはブッ飛んでないと売れない。お前らもっとブッ飛べ！　騒げ！　ここ出禁になるくらい暴れろ！　ワイン持ってこい！」

と叫び、ボトルを一気に飲み干していた（そのあとで「ウソです。素敵な会場ありがとうございます」とホテル側への配慮も欠かさなかった）。まるで男子校の文化祭のような勢いは、会が終了する夜8時まで続いた。

壇上からホストたちが語ったのは、売り上げに貢献してくれた女性客への感謝ではなく、支えてくれた同僚へのねぎらいがほとんどだ。新年会はホストたちにとって客向けではなく、自分たちのための晴れ舞台。「売り上げ」に人生をかけているホストたちにとっては、一年で最も気合の入るイベントなのだ。

一方、経営者側からすれば従業員のモチベーションを維持するために必要な場である。「壇上に立ちたい」「名誉を勝ち取りたい」とホストたちに思わせ、仕事に熱中させるために、経営者側は金に糸目をつけずに華やかな舞台を用意する。

パーティガールとして、煌びやかな女性たちを用意するのは当たり前。グループによってはオーナー自らがダンスと歌を披露したり、アイドルを呼んでライブを行うこともある。風俗嬢やバーレスク嬢にホストを接待させるグループも存在する。

新年会を見学していただけの筆者ですら、壇上で讃《たた》えられるホストの姿を見て、「カッコいい!」と思ってしまったから、売れっ子の先輩を見た後輩ホストの多くが憧れを抱いたことだろう。ホストたちはみな「あの舞台に立ちたい」という夢を抱き、それを客の女の子に語る。すると女の子たちは、彼の夢が自分の夢となり、大金をつぎ込んで売り上げに貢献する、というわけだ。

ちなみに筆者は、あるホストから「俺の努力の証を受け取ってほしい」と新年会で獲得したトロフィーを渡され、好きだった子から運動会のメダルを受け取った中2の夏を思い出した。

新年会当日の様子。壇上で表彰されることが、ホストたちのモチベーションになっている

2月25日

バレンタインに泣く「女性用風俗」で働く男たち

「バレンタインイベント開催中！」とポップな文字が躍るホームページ。こちらは何を隠そう、女性向け風俗（女風《じょふう》）のトップページだ。「男性セラピストにチョコをプレゼントすると、無料で30分延長！（チロルチョコもＯＫ）」とある。女風の料金は一時間1万円が相場なので、20円のチロルチョコで５０００円お得になるというのだ。こんなシステムでもキャストが儲《もう》かるとはずいぶん太っ腹なお店……と思いきや、そうではない。女風の男性セラピストたちは、ブラック企業もビックリな搾取構造のなかで働いているのである。

女風は「出張性感サービス」が基本だ。つまり、ほとんどがデリヘルの男女逆転版のようなシステムである。本番行為はもちろん禁止されており、オイルを使った性感マッサージなどが楽しめる。利用料金はだいたい１２０分2万円。男性向けの風俗と違い、40分などのショートコースは用意されていない店がほとんどで、店舗側も１２０分以上の利用を推奨している。女性は男性よりも性的満足に至る過程やマッサージ、コミュニケーションに比重を置くこともあり、長時間のほうが「楽しめる」そうだ。

客が払う利用料金の約半分が、男性セラピストの取り分となる。売り上げの大きい人気キャストになると、給料が上がる店舗も存在するらしい。

さて、この「客払いの半分がキャストの取り分」というのが罠《わな》なのだ。店舗は時折、新規客向けに割引サービスを実施する。「ご新規限定！　60分無料！」「新人セラピスト限定！　コース料金半額！」などである。男性向け風俗店では、こういったキャンペーンを打った場合、店の取り分を下げて従業員には通常通りの給料を払うものなのだが……。

「払われないいんですよ、ウチは。客が払った金額のキッカリ半分しかもらえない。たとえば、90分で予約した客が60分無料サービス券を使った場合、料金は5000円で、僕の取り分は2500円だけです。何のために風俗で働いているんだろうって思いますよ。よく調べないでこの業界に入ったことをマジで後悔してます」

そうこぼすのはセラピスト歴半年のハジメ（仮名・21）だ。ハジメは現役の専門学校生。奨学金を借りているが生活費が足りず、女風の扉を叩いた。俳優を目指しているというハジメは、授業の合間をぬってほぼ毎日出勤している。

「僕は正直、ツイッターのDMとかで営業をかけるのが苦手で。だから本指名がなかなか取れない。毎日毎日、客と連絡をとって、やっと月に1回来てくれるかどうかだと、正直やる気にならないんです。こんなことなら、おとなしく時給1500円くらいのボーイズバーとかで働いたほうがよかったかもしれない。けど、最初に登録料として7万円も払っているので、もったいないと思ってずるずる続けてきた。でも、今回のバレンタインイベントで、やめる決心がつきましたよ。どれだけタダ働きをさせる気だよって、マジで嫌になりました」

ハジメの店舗では、20円のチロルチョコで30分の無料サービス、さらにホワイトデーには「お返し」として無料で60分のサービスを客側は利用できる。合計90分無料サービスをしなくてはならないのは、なかなかにハードだ。

「いま、女性向け風俗は買い手市場なんです。

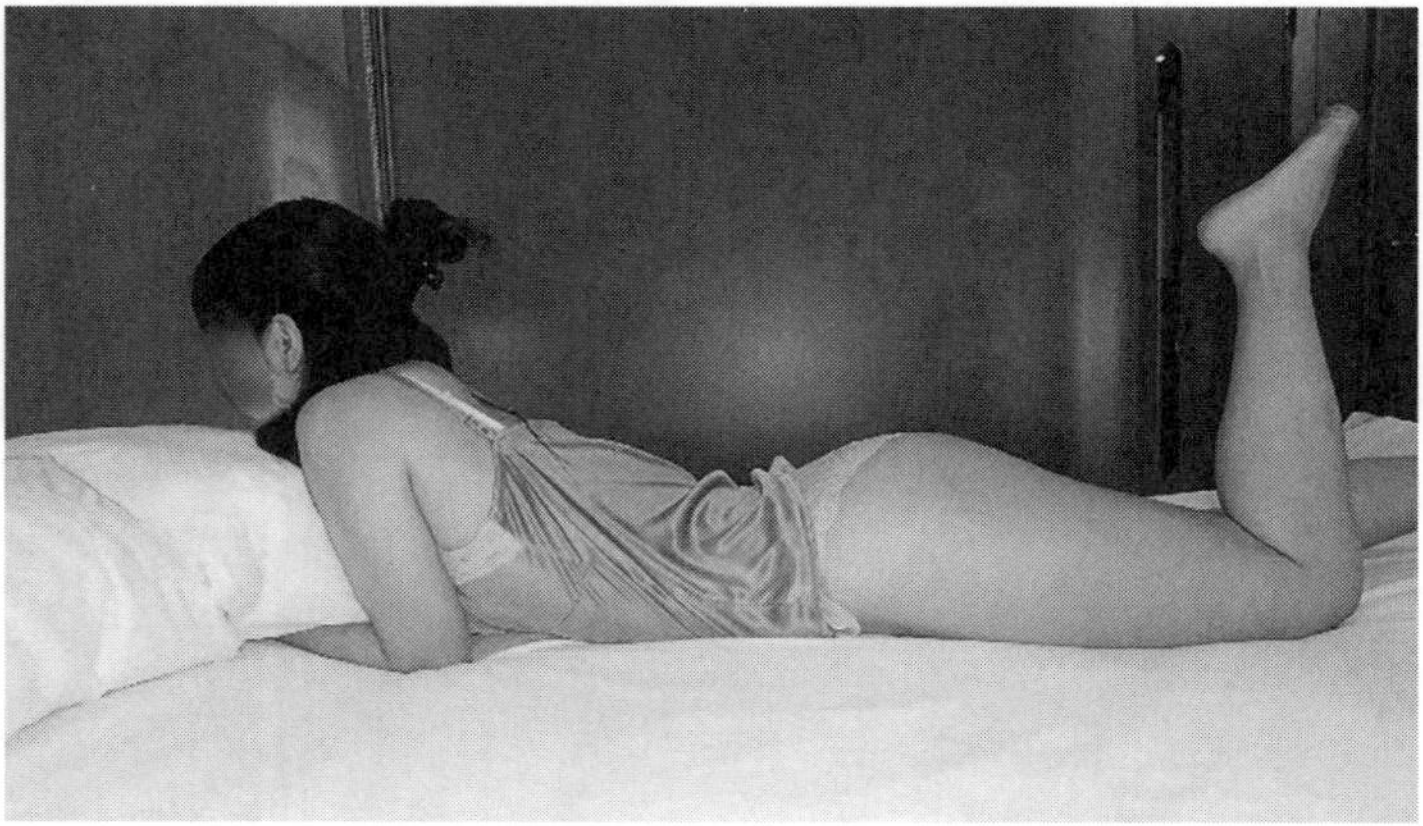

女風では、プレイの技術だけでなくコミュニケーション能力も重視される

セラピストが増えたから、本指名してくれる客がたくさんついていないと稼げない。しかも、いくらプレイが良くても、『でも連絡遅いから』とかで簡単に指名替えされてしまう。働けば働くほど、取りたくもない連絡の通知だけが増えていって……。女性向け風俗のセラピストとして稼げている奴は、たぶんどこ行っても成功するんじゃないかな。ホント、地道な作業です。いままでは女の子とよく遊んでましたけど、この仕事を始めてからその気力もなくなりました」

女風で働く男性セラピストたちは客の体だけでなく、メンタルのケアまで求められているのだ。しかもこれで薄給とあれば、長くは続けられないだろう。流行りの女風だが、現状が続けば、男性セラピストがどんどん辞めていくことになるかもしれない。

3月4日

歌舞伎町の「シーシャバー」で性を売る青年

最近、歌舞伎町で「シーシャバー」がじわじわ流行し始めている。「シーシャ」とは「水タバコ」のことで、ここ数年で一気に店舗数が増え、若い女の子からオジサンまで幅広い世代が通っている。

タバコの葉を炭で加熱し、水で濾過《ろか》した煙を吸う。タバコの葉と言っても、味はレモン、メロン、スイカといったフルーツ系から、キャンディ、バブルガム、バニラ、キャラメルといったお菓子系、さらにヒノキ、ミルクティーなど実に多種多様。これらを単品で吸ったりお好みでフレーバーをミックスしたりして楽しむのだ。紙タバコの苦さが苦手な人でも受け入れやすく、リラックスできる嗜好品《しこう》として人気を集めている。

だが、店舗が乱立する一方で、なかにはフレーバー以外の方法で客を集めるシーシャバーもあるようだ。

「いまでは推しの女の子に会いに行くために店に通ってますね。正直、シーシャの味はめちゃくちゃおいしい！ってわけじゃないけど……」

　そう語るのはシーシャ歴一年の現役女子大生・アヤカ（仮名・21）。友人とシーシャバーに行ったのがきっかけで吸い始め、いまは「コンセプトシーシャ」に通っているという。「コンセプトカフェ（コンカフェ）」は、患者とナースのようにさまざまなコンセプトのもと、客がキャストの接客を楽しむ店のこと。コンセプトシーシャとはコンカフェのシーシャ版だ。

「せっかくシーシャを吸うなら推しが作ったのを吸いたいなって。キャストは接客するだけで、シーシャを作っているのはオッサンという店もありますが（笑）。シーシャバーは基本的に煙を吸ってるから、あんまり会話はいらない。キャストは楽だと思いますよ。私はのんびりと動く推しを見て癒やされてます」

　いろいろなフレーバーを混ぜ、絶妙な調整が必要なシーシャは作り手の技術で味が左右される創作料理のようなものだ。滞在時間2時間で3500円前後が平均的な利用料金のため、仕入れ代などを考えると、シーシャバーで儲けるのはなかなかに難しい。だからこそ、「推しの店員」目当てで通う客を捕まえることが利益につながるのだ。

　コンセプトシーシャはまだまともなほうで、さらにいかがわしい方法で客を集める店もあるという。シーシャバー事情に詳しいリクト（仮名・22）が言う。

「たまにヤバい店は聞きますよ。個室にソファーやベッドが置いてある店とか。客はラブホ代わりにシーシャバーを利用し、シーシャを吸いながらイチャつくんです。『チェキ』がある店はけっこうキワどいことやってるケースが多いですね」

コンカフェには、「チェキ」と呼ばれるキャストが客と記念撮影をするサービスがあるが、コンセプトシーシャにもこのシステムは引き継がれている。チェキは一枚500〜2000円。これを積んだ客に対し、裏でシーシャや撮影以外のサービスを提供する店もあるようだ。

「女の子の客が、目当ての男性キャストにチェキを積んで、連絡先交換してもらって店以外でデートするというのはよくありますね。枕営業している子がいるなんて噂もありますよ。チェキの売り上げの半分くらいがキャストに入るので、正直、オイシいんですよ。そういうことしないと、客が集められないという事情もある。真面目なシーシャバーからすると、そういう店が増えるのは迷惑ですね」(同前)

シーシャ愛好家の一人である筆者からすれば、下半身ではなくフレーバーで勝負してほしいものである。

747
新店舗
オープン
747
2F 150席
居酒屋 一休
3F
24時間営業!
TIGERS

3月11日

高校卒業したてが稼ぎ時の「現役ＪＫ風俗嬢」

卒業シーズンの3月は、歌舞伎町の風俗業界がにわかに色めき立つ時期である。高校卒業と同時に、即風俗で働きに出る女の子と、彼女たちを狙うスカウトの動きが活発化するのだ。まともな風俗店では、たとえ18歳を過ぎていても高校生は雇わない。しかし卒業したとなれば話は別で、卒業ホヤホヤの女の子を採用し、ホンモノの「現役ＪＫ」として働かせる店も存在する。「業界未経験の新人」「18歳の現役ＪＫ」といった肩書の破壊力は抜群で、男性客の予約は殺到。卒業したての女の子たちにとっても、またとない稼ぎ時なのだという。

昨年の3月に都内の高校を卒業した後、すぐに歌舞伎町のデリヘルで働き始めたユマ(仮名・19)が言う。

「若いってだけで指名されるから接客はテキトーで大丈夫(笑)。私は学園系を売りにした店に入ったんですけど、塩対応しても客は『かわいい、かわいい』って言ってくれました。若いってだけでウブだとでも思ってるんですかね」

高校卒業後すぐに風俗店で働く女の子たちの事情はさまざまだが、ユマの場合は、歌舞伎町のボーイズバーにハマったのがきっかけだった。

「もともとメンチカ（男性〈メンズ〉地下アイドル）が好きで、推しのアイドルとつながることができて同棲してたんです。で、別れてどうしよっかなーってときに歌舞伎町のボーイズバーにハマった。ボーイズバーだと年齢確認がない店も多いから。ボーイズバーの男の子の誕生日に（シャンパン）タワーしたくて風俗を始めました。

これまでは若いってだけで稼げたけど、この春から年下の子も業界に入ってくるから怖いですね。18歳と19歳じゃ全然市場価値が違うんです。競争の激しい歌舞伎町だと稼げなくなりそうなんで、最近、川崎のソープに移りました」

毎年この季節になると、ツイッターでは「ついに平成○年生まれの風俗嬢が誕生するのか……」という衝撃と興奮入り混じるツイートを多々観測する。男性客はもれなく「ウブな新人風俗嬢」を期待して店に来るわけだが、夢を見すぎると痛い目にあう。

「高校生の頃はずっとリフレやってました。卒業式が終わったので、デリの面接も受けてみるつもりです」

現在18歳、高校を卒業したばかりのアヤ（仮名）は風俗こそ未経験だが、リフレ歴は2

年になる。派遣型のＪＫリフレは、いまだに18歳未満を雇用している店舗が少なからずある。なかには全員18歳未満という噂のある店舗もあるから驚きだ。アヤがあっさりと語る。

「別に珍しくないですよ。アイドルとかにハマって金欠の友達同士で働ける店を紹介しあってるんで。リフレは基本、プレイ料金のバックは３０００円くらいしかなくて、そこからいわゆる『裏オプション』で稼ぐ。最初は抵抗があってもまずハグを許して、次にキスを許して次に触られるのを許して……ってだんだん貞操観念が薄まっていく。お金もらえるなら、どうでもよくなりますよね。でも、リフレはオプションの交渉に失敗したらあまり稼げない。だったら、デリで本番してお金もらうほうがいいかなって思ってます」

ある風俗店の店員によると、

「リフレやってた子は客をナメてる子が多いですね（笑）。でも、ホントに地味で男慣れしてない子もたくさんいます。３月は一年で一番、いろんな若い子と遊べる時期だと思いますよ」

とのこと。風俗嬢と店と客の欲望が重なり、歌舞伎町の春は、性的消費のサイクルを最も感じる季節だ。

高校卒業後間もない18歳の風俗嬢が入店すると、店側も「期間限定感」を出して、客の購買意欲をさらに煽(あお)る

キッズたちを取り仕切る「トー横四天王」

「トー横に来る前の2018年頃は、池袋で集まってたんですよ。けど、そこも治安が悪くて。『やりらふぃ〜』と呼ばれる半グレみたいなヤツらを煽《あお》ってトラブルになったりして、歌舞伎町に移動しようってなったんです」

数々の事件が起きて、すっかり有名な存在になったトー横には、10代の少年少女からカリスマのように崇《あが》められる青年たち、「四天王」がいた。

1人目の名は「雨宮ただくに」こと水野泰宏《やすひろ》(24)。今年1月28日に女子中学生とわいせつな行為をしたとして逮捕され、3月10日に児童福祉法違反容疑で再逮捕された。

2人目の名は、K。児童買春と児童ポルノ禁止法違反の疑いで昨年10月に逮捕された。

3人目の名は、R。ホームレスを暴行して書類送検されたという。

そして、今回筆者の取材に応えてくれた冒頭のX氏(20代前半)の4人が四天王である。

高校卒業後、ホストクラブなどで働きながら、2018年頃から歌舞伎町で暮らすようになったX氏は、トー横の変遷をこう振り返る。

「トー横がこれだけ大きくなったのは、『ただくに』のおかげじゃないかな。『ただくに』ともう一人、別の中心的な人物がいたんですが、その人がいなくなって、『ただくに』が路上を担う感じになった。最初の頃は、『ただくに』と他の四天王がちゃんとルールを決めて、楽しく飲んでいたんですよ」

四天王は、界隈の治安を荒らす人間を「出禁」にする権限を持っていたという。外の人間に迷惑をかけること、お金関係のトラブル、親から捜索願を出されているのにもかかわらずトー横にいること、過度な色恋。とくに、未成年の女の子が多く集まるトー横界隈

トー横四天王のX氏

では、女目当ての男はすぐさま出禁になった。

「女に飢えた感じで、飲みの場で女の子にベタベタするヤツはすぐ弾《はじ》かれました。楽しく飲むために集まっていたので、それを乱すのは許されなかった。お酒が強いほどエライ、みたいなノリもあったっすね。盛り上げ上手が上に行く感じ。『四天王』という名前もノリが良くて発信力があるから、そう呼ばれるようになったんです」

ただ楽しく飲むための場所だったトー横だが、SNSでたまり場として認知され、人が増えていくにつれて管理が行き届かなくなり、トラブルも頻発するようになった。自殺やOD、未成年の少女は大人にも目をつけられ、売買春も盛んに行われるようになった。

「四天王の逮捕は、そこまで影響はなかった。『ただくに』やKは、女の子たちの憧れの存在ですから。法律的には違反でも、彼らの評判が落ちるわけではなかったです。それより、トー横キッズにとっては、昨年の11月末に起きたリンチ殺人事件が衝撃的でしたね。あれは半グレみたいなヤツらが起こしたトラブルで、俺らとは無関係だった」

殺人事件が起きたとなれば、警察も看過はできない。取り締まりが強化され、少年少女らもトー横界隈にはいられなくなった。姿を消したように思われたキッズたちは、どこへ行ったのか。

「いまも歌舞伎町にいる奴は多いですよ。コンカフェとかバーで働いているヤツもいるし、安いバーに集まって飲んでいる奴もいる。わざわざ路上には行かなくなりましたね。いま、路上にいるのはだいたい新規。主要メンバーの俺らからしたら、路上にいる人たちはトー横界隈でもなんでもない、って感じですね」

歌舞伎町の路上にたむろしている少年少女を「トー横キッズ」としてひとくくりにしてしまいがちだが、四天王ら主要メンバーに認められなければ、界隈の仲間としては扱われないようだ。

今後、主要メンバーが路上に再び集まり、トー横が復活することはあるのだろうか。

ルールを定め、トー横の治安を守ってきたという少年が取り締まりを受けていた。
近頃のトー横では、たむろしているキッズはすぐに排除されるようになった

「夏までは少なくとも無理かな。招集かければ集まるかもしれませんが……。本来、『行きたい』と思ったヤツが自主的に集まる場所だったので、『来い』と言うのはちょっと違うかな、と。みんながまた自然と集まるようになるには、時間が必要だと思います」

すっかり路上から姿を消したトー横キッズ。しかし、今年3月上旬には、キッズのたまり場となっていた歌舞伎町のバーが、未成年に酒類を提供していたとして摘発される事件もあった。このバーはフリータイムで飲み放題、男女問わず3000円と安価なため、キッズたちに人気だったそうだ。

「最近、歌舞伎町のバーが高くて。飲み放題5000円が多いんですよ。そうするとさすがに渋い、ってなって渋谷に移るヤツも増えてきましたね」

歌舞伎町で再び復活するのか、それとも新天地を見出すのか。いずれにせよ、いくら取り締まりを強化しても「居場所のない未成年」そのものがいなくなるわけではない。彼らの居場所を奪うことが、本当に犯罪を減らすことにつながるのだろうか。

ELEVEN

3月28日

市川海老蔵にブチギレるパパ活女子

「あのニュースのせいでさんざんですよ。すぐ値切られるようになった。芸能人のパパ活報道はすぐこっちに影響が出るんで、マジで勘弁してほしいです」

そうこぼすのは、パパ活歴3年の大学院生・シホ（仮名・24）。「あのニュース」とは、3月24日に女性週刊誌で報じられた、市川海老蔵《えびぞう》（44）の多重交際に関する記事のことだ。

海老蔵はSNSでナンパした女性をホテルに誘って2万円を手渡し、肉体関係を持ったという。この海老蔵の行動が、なぜパパ活界隈に影響を及ぼしたのか。

「海老蔵が2万でヤれてるんだから、2万でいいだろ、みたいな感じで『大人』の値段を下げようとしているオジサンがマジで増えました。こっちからしたら、いやいや鏡見ろよ、海老蔵だからギリ2万なんだぞって話ですよ」（シホ）

パパ活では、「顔合わせ」と呼ばれる最初のお茶や食事一時間で1万円、「大人」と呼ばれる肉体関係を持つことは5万円が相場だった。しかし現在は、「素人の女の子を応援する」といった理由でパパ活をする男性は激減。「風俗よりも安く素人と関係を持ちたい」というオジサンで飽和状態になっており、「大人」3万円ですら値切られる市場になりつつある。

「海老蔵の相手の女性がフォロワー50万人の人気インスタグラマーだったというのもあって、『キミみたいな普通の女の子は2万よりも安くていいくらいだ』みたいなスタンスのオジサンまで出てきた。本気で迷惑しています」(シホ)

さらに、パパ活女子からは海老蔵の「プレイ内容」にも厳しい声が上がっている。パパ活で大金を稼いでいる女子大生のマイカ(仮名・21)が笑いながら言う。

「海老蔵は相手の女性に『愛しているって言って』とお願いしたと書かれていましたが、そんな人、風俗の客でもなかなかいないでしょ。正直、いくら顔がよくても、44歳にこれをやられたら厳しいです。どういう事情があったのかわかりませんが、相手の女性もよっぽど嫌だと思ったから週刊誌に売ったんじゃないかと勘ぐっちゃう」

単純に性欲を発散させようとする男性よりも、寂しさや承認欲求といった「心」を満たそうとする男性のほうが苦手だと思うパパ活女子は多いようだ。

「お金をもらった時点で、こっちはある程度覚悟してますよ。お金のぶんは、相手の性的欲求に応じようと思ってます。でも、『愛している って言って』とか、そういうことを求めてくるのはちょっと……。精神的に満たされたいんだったら、お金払わずにデートして口説いたほうがいいと思います」(マイカ)

また、パパ活女子の間では、こんな会話も交わされているという。

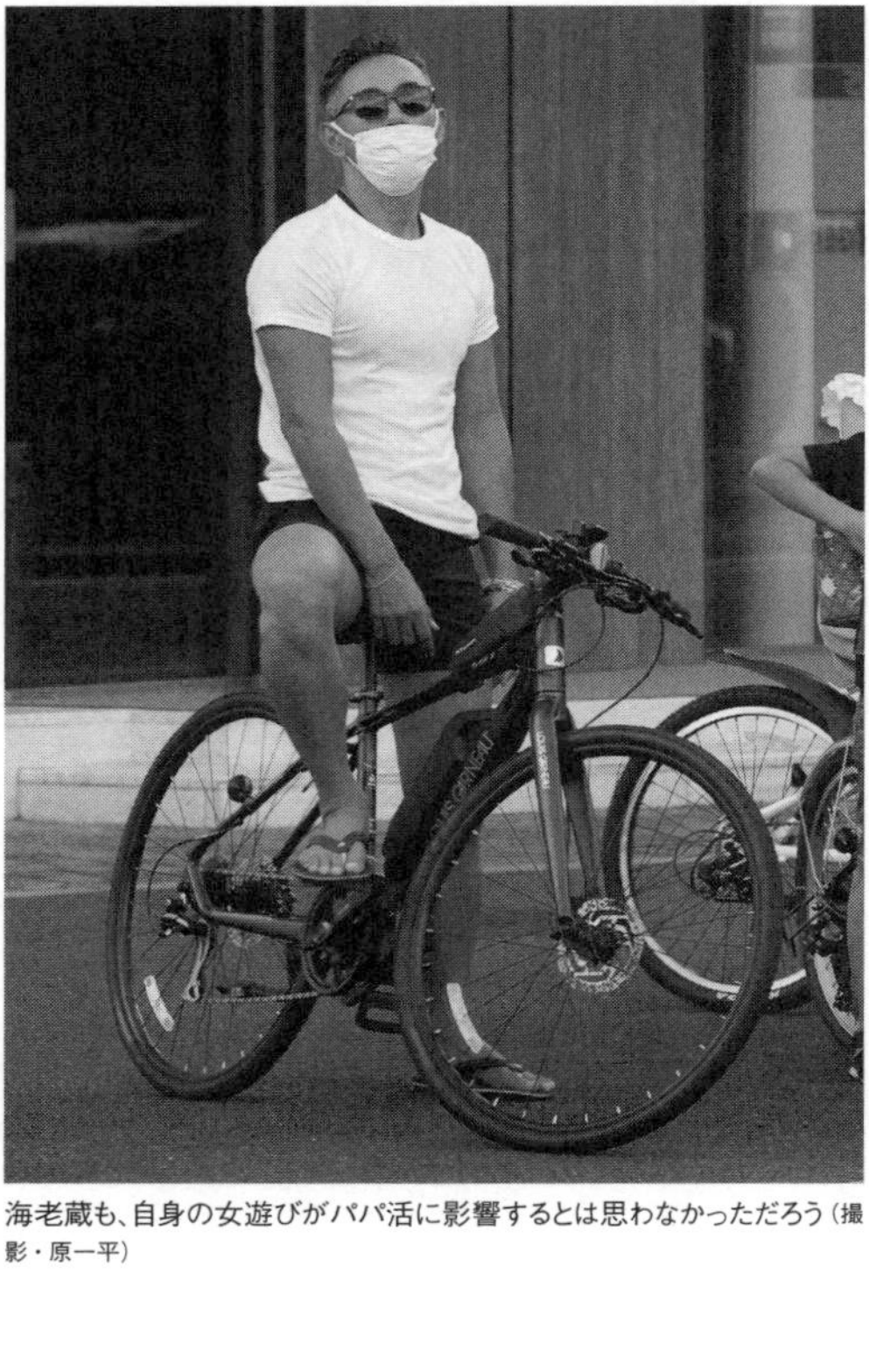
海老蔵も、自身の女遊びがパパ活に影響するとは思わなかっただろう(撮影・原一平)

「海老蔵よりは、『アンジャッシュ』の渡部(建・49)のほうがよっぽどマシだよね、って友達とよく話しています。トイレでサクッとフェラして15分1万円っていうほうが、こっちからしたらかなり良心的ですよ。でも、最近は海老蔵みたいに精神的に満たされたい

オジサンが増えているんで、パパ活も難しくなってきてきてますね」（マイカ）

パパ活市場ではいま、稼げる子とそうでない子の格差が広がっている。稼げているのは、男性側の心を巧みに満たすことができる子だ。同情であれ愛情であれ、男性に「情」を抱かせることによって多額のカネを貢がせる。コロナ禍ということもあり、「寂しい男性」が増えているのかもしれない。

4月2日

「足つぼ屋」に倒れ込む明け方の歌舞伎町住民たち

歌舞伎町にはさまざまなディープスポットが存在する。ホストクラブ、風俗、シーシャバー……。多種多様な歌舞伎町の住人たちが一堂に会する場所と言えば、喫茶店「ルノアール」がよく知られているが、実はもう一つある。「足つぼマッサージ屋」である。

歌舞伎町には足つぼをメインとするマッサージ屋が10店舗ほどあり（筆者調べ）、連日賑わっている。夕方の客層で多いのは、出勤前のホストやキャバ嬢だ。連勤終わりで疲れた風俗嬢も見かける。

「出勤前は毎日来ています。足つぼに通ってからわりと身体の調子が良くて、売り上げも上がっている（笑）」

そう語るのは、某店舗でナンバーワンホストのハルト（仮名・24）である。

「全身やりたい気持ちもあるんですけど、足つぼだと両手が自由じゃないですか。足つぼを受けている間に一気にお客さんに営業をかけられる。出勤前のルーティンになってますね」

歌舞伎町の足つぼマッサージは朝まで営業している店が多い。最も混雑するのは、深夜1時以降だ。アフター待ちのホスト狂いの女性や始発まで暇なホスト帰りの女性、キャッチが終わったスカウト、キャバクラの客、疲れたサラリーマンなど実に多様な人間がなだれ込む。

脚の細いギャルメイクのキャバ嬢2人とその客のよれたスーツのサラリーマン4人が店に入ろうとし、「30分後なら」と言われて予約をして、ラーメン屋に向かう。その次にやってくるのは「ぴえん系」の女子2人組だ。彼女たちは常連らしく、「今日はいっぱい」と話す店主に「社長大儲けじゃん！」「よかったねぇ繁盛して」「じゃあウチらはシーシャにするわ」と軽快に会話を重ねて店を後にする。

足つぼ常連のソープ嬢、ユイ（仮名・19）が言う。

「ソープの仕事って脚がパンパンになるんですよ。肉体労働ですからね。だから仕事終わってホストクラブに行った後、担当から連絡あるまではよく来ちゃいます。スマホ依存がひどくて、携帯を30分見られないのがキツい。だから全身マッサージは無理。以前、全身マッサージを受けてるときに担当から連絡が来て、アフターしてくれようとしてたのにできなかったことがあって。それからはもう足つぼだけです」

ホストのハルトも言っていた通り、「手が自由になる」ことが足つぼ人気の理由の一つのようだ。一方、ユイの同僚のソープ嬢、リリ（仮名・19）はまた別の理由で足つぼに通う。

「ソープが終わってから始発を待つまで、だいたい3～4時間くらいある。ご飯食べて2時間くらい足つぼを受けるんですけど、私はスマホの電源を切って、完全におやすみモードです。寝るなら漫画喫茶でもいいんですけど、漫画喫茶だと起きられない。その点、足つぼは強制的に起こしてくれるんで（笑）。起きたら疲れが取れてるし、一石二鳥かなって。歌舞伎町の足つぼ屋さんって、優しいんですよね。『今日はもうちょっと寝たい』って言ったら、施術時間終わっても寝させてくれるときもあるし。そういう優しさがマジで好きです」

ちなみに、筆者も始発待ちで足つぼに行くことが多々ある。ちょっと暗めの店内に、バラエティ豊かすぎる客が混在しているあの空間は少し癖になる。もしかしたら、歌舞伎町の「いま」が一番知られる場所かもしれない。歌舞伎町に行く機会があれば、足つぼ屋に寄り、会話に耳を澄ましてみてはいかがだろうか。

4月9日

アメリカンドリームをつかんだ海外出稼ぎソープ嬢

日本の伝統ある風俗と言えば、今も昔も「ソープランド」である。スケベ椅子やマットプレイといった独自の文化は外国人にも人気で、コロナ禍以前はソープ目当ての観光客が歌舞伎町をよく訪れていた。

昨年秋、そんな日本独自のソープランドが、なんと、アメリカにも誕生したという。

「昨年の秋からプレオープンしてて、今年の春から本格的にスタートしたらしいです。わりと繁盛しているみたいですよ。場所ですか？　それだけは『絶対に言うな』って言われているんですよ。摘発の対象になっちゃうらしくて。大都市近郊の繁華街って感じのところですね」

そう話すのは、年始にアメリカ版ソープランドで働き、ひと稼ぎしてきたモエコ（仮名・21）である。

「日本のスカウトマンみたいな存在が、海外の風俗店にもいるんです。向こうではエージエントという呼び方なんですが。私はアメリカに留学していたことがあって、たまたまエージェントにも知り合いがいた。それで、『ソープランドができるから働いてみないか』と声をかけられたんです」

アメリカのソープランドのシステムは、ほとんど日本と一緒だという。女性が個室に客を迎え入れ、一緒に風呂に入った後、マットプレイなどを楽しむ。ただ給料に関しては、彼の地のほうがはるかに良いようだ。モエコが続ける。

「日本のソープランドだと、高級店と言われているところでも、110分で女の子のバックがだいたい4万円。それ以上にもらえる店舗は、1~2店舗くらいしかない。けどあっち（アメリカ）のお店だと、120分でバックが600~700ドル（7万5000~8万7000円）もらえる。宿泊費も店が持ってくれるから、アメリカのほうが稼げるんですよ。日本と違って、チップもしょっちゅうもらえますしね」

モエコによると、働いている女性はアジア系がほとんどだったという。中国、韓国、台湾、そして日本の女性が働いているそうだ。

客は中国系が主で、白人の利用は少なかったという。

「中国で日本のAVってメチャクチャ人気があるんですよ。AVのジャンルに、『ソープランドもの』ってあるじゃないですか。だから、中国系の人にとって、ソープランドってものすごく憧れがあるらしいんです。お金を払えばAVの世界に行ける、みたいな感じで人気なんだと思います。お客さんのなかには、『ずっと夢見ていたプレイを体験できた！』と感動している人もいました（笑）」（モエコ）

近頃は、モエコのように海外の風俗店に「出稼ぎ」に行く日本人風俗嬢は珍しくないようだ。

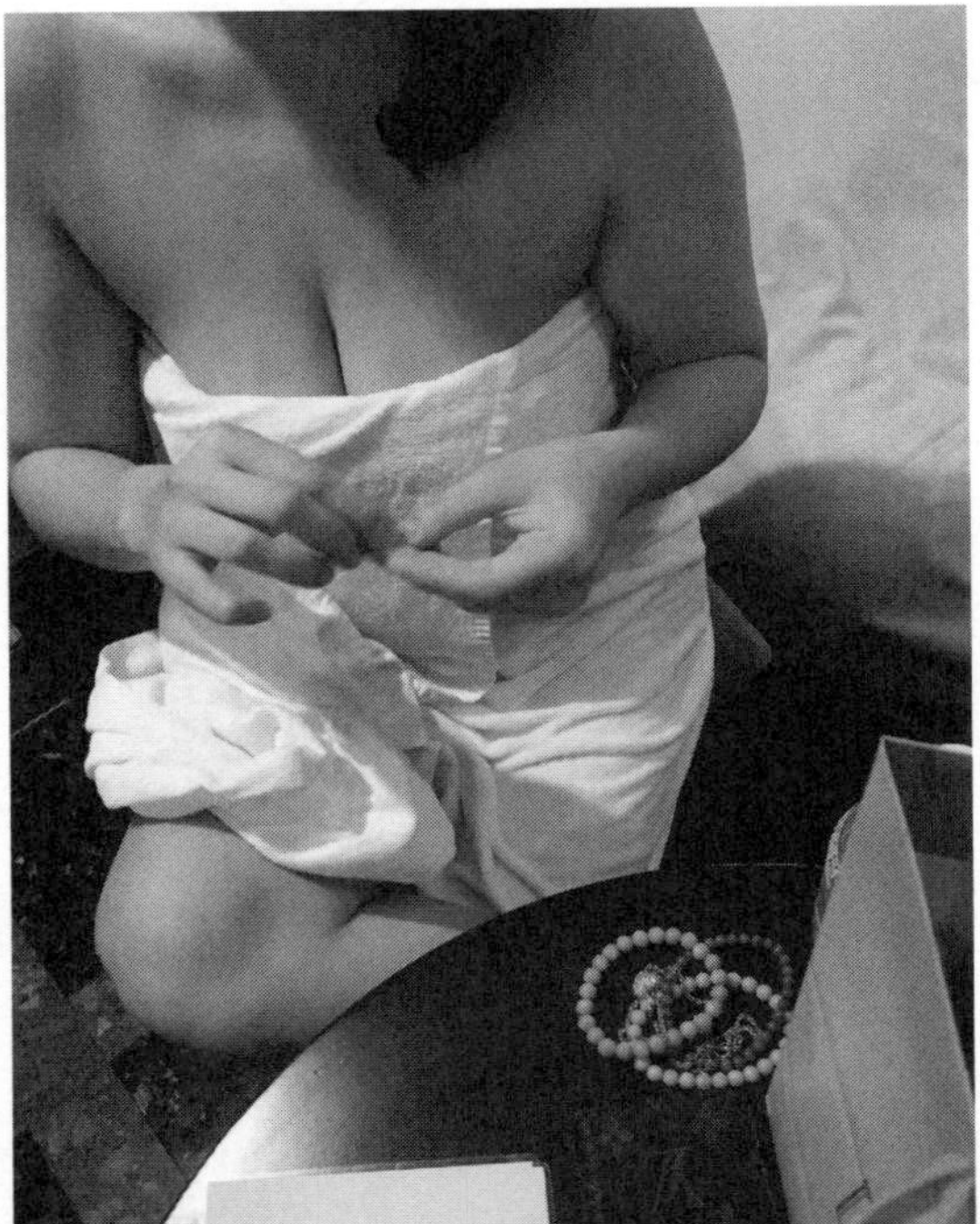

いまは1ドルが約147円。
海をわたり「出稼ぎ」に行く日本人風俗嬢が増えている

「私のように知り合いのエージェントを通す子だけじゃなく、日本で外国人向けのデリヘルで働いていた子なんかが海外に出稼ぎに行っていますね。正直、英語ができる子だったら、行ったほうが楽だし稼げると思いますよ。言葉が通じないと思っているからか、お客さんもあまり話しかけてこないですし。日本だと世間話したりしなきゃいけないのが、けっこう苦痛だったりするんで。日本語の『イク！』が英語だと『ｃｕｍ！』になるっていうのを覚えておけばだいたい大丈夫ですね（笑）。私も来月にはまた、アメリカに出稼ぎに行くつもりです」（モエコ）

歌舞伎町を飛び出しアメリカへ……。風俗業界もグローバル化が進んでいるのである。

4月16日

新たな価値観やルールを持つ「トー横第2世代」

相次ぐ事件と警察による取り締まりの強化のため姿を消したかに思われたトー横キッズだが、何やら復活の兆しを見せ始めているようだ。

4月11日、トー横に出入りしていた18歳の少年が警視庁に逮捕された。容疑は、14歳の中学2年生の少女に歌舞伎町のインターネットカフェで売春をさせたというもの。少年がSNSで集めた6人の客を相手に、少女は一回2万5000〜3万円で売春をし、合計20万円を稼いでいたという。報道によると、逮捕された少年は「トー横界隈の有名人がファンの少女らに貢がせていることを知り、自分もやろうと思った」と供述しているそうだ。

トー横では以前から、売買春が問題となっていた。元トー横キッズのアヤト（仮名・21）が言う。

「逮捕されたヤツは、やり方が下手でしたよね。トー横にはもっとうまくやっているヤツもいっぱいいます。上手なヤツはコンカフェとかバーで働きながらファンの女の子に貢がせる。女の子が勝手に売春をして、勝手に貢いだという体裁にして、自分に責任が及ばないようにするんです。トー横界隈の人気者のなかには、いろんな女の子から『私が泊まってるホテルにおいで』とカードキーを渡されて、遊戯王のデュエリストみたいになってる奴もいましたよ（笑）」

P50で紹介した「トー横四天王」は、「2018年頃にトー横に入り浸っていた初期メンバーのほとんどがいまは別の場所で活動するようになった」と語っていた。どうやら現在のトー横には、カリスマ的な人気を集めた初期メンバーに憧れを抱いていた、少し下の世代の少年少女が集まっているようだ。

もともとトー横は、「楽しく酒を飲む」ためのコミュニティだった。しかしいまは、「友達を作ってつながる」「推しに会いに行く」「動画を撮る」と、必ずしも「飲酒がしたいから」行く場所ではなくなってきている。トー横黎明《れいめい》期は「酒の強さ＝地位の高さ」だったらしいが、いまではそういったルールも形骸化していると思われる。

そんな「トー横第2世代」とも言うべき少年少女たちは、警察の取り締まりを恐れて集まっていなかったわけではなく、単純に寒い冬の間は路上でたまるのがおっくうだっただけ。暖かくなってきたからトー横に出てきたというシンプルな理由のようだ。

新たなカリスマも生まれてきている。「ＴｉｋＴｏｋ」を覗くと、２００３年生まれの18歳の少年が自身の踊っている動画を盛んに投稿しており、彼に憧れる少女たちのコメントが数多く観察できる。

「え、めっちゃ可愛い」「かっこよすぎ無理死んだ」「トー横行けば会えますか？」……。コメントを残していた少女のアカウントのプロフィールを見ると、「＃０９」とある。２００９年生まれの今年13歳になる女の子のようだ。

トー横で事件が頻発していたのは、昨年のことである。日々忙しく働く大人たちからすれば、数ヵ月や1年というのはわずかな時間かもしれない。しかし、トー横界隈という場所では、そんな短い期間で早くも新陳代謝が行われているのだ。

まだまだ今後も「文化」として栄えそうなトー横。未成年の少女を買う大人に問題があるのはもちろんだが、新たな世代が集まることによって、再び事件が頻発、なんてことにならなければいいのだが……。

以前と同じように、トー横には少年少女が戻り始めている（写真・結束武郎）

4月23日

「生娘シャブ漬け」発言に泣き笑うホス狂い女子

世間から猛批判を浴びた「吉野家《よしのや》」の元常務による「生娘《きむすめ》シャブ漬け戦略」発言は、歌舞伎町に入り浸る女性の間でも大いに話題を呼んでいる。

世間と同じく、彼女たちもこの発言には批判的である。しかし、批判的である理由がちょっと変わっている。

「吉野家の偉い人は牛丼をシャブにたとえていたけど、ホストクラブのほうがよっぽどヤバいですよ。今回の問題が起きて、改めて『牛丼なんかよりホストのほうが依存性あるよね！』ってみんなで盛り上がってます」

そう笑うのは、歌舞伎町のホストクラブにハマって一年になるカリン（仮名・21）だ。

高校卒業後に北海道から上京し、一度はネイルサロンで働き始めたが、ホストへの出費がかさみ退職。現在は歌舞伎町のデリヘルで働き、稼いだカネはホストに全額突っ込んでいる。

「私ももともとは〝生娘〟だったんですよ。でも、友達に誘われてたまたま行って以来、ホストにどっぷりハマっちゃって……。ホストクラブの依存性ってマジでヤバいんです。街中でシャンパンコールのときに流れる音楽を聞いただけでお店に行きたくなるし、お酒飲んでたら金額とかどうでもよくなって、担当のホストに頼まれたら『全部いいよ』って言っちゃう。何度も『もう行かない！』『お金使わない！』って思ってるんですけど、数日後には気づいたら店にいる（笑）」

実際、「ホストクラブ依存」で病院に通院する女性も少なくない。

ホストクラブはなぜ、これほど依存性が高いのか。自らもどっぷりとハマっていた経験がある筆者としては、ポイントは「居場所」と「承認」にあると考えている。数万円を払えば自分に気を遣ってくれて、チヤホヤしてもらえる。そして「お前が必要」「お前がいるから売り上げが上がる」と、自分の存在を必要としてもらえる。

カネさえ払えば認めてくれ、褒めてくれる――。こんな環境は他にはなく、これによって通うのをやめられなくなる女性は本当に多い。ホストがイケメンだから、という理由だけでホス狂いになる人は意外と少ないのだ。

しかも、近頃はマッチングアプリの登場によって、ますますホストにハマる女性が増えているという。歌舞伎町の大手ホストグループで働くシンジ（仮名・25）が語る。

「いまはマッチングアプリで集客するホストも多いですよ。歌舞伎町やホストクラブにまったく縁がなかった人が、たまたまホストとマッチングして転がり落ちる。ホストであることを隠して交際関係に発展させ、そこから『実は将来の目標のためにホストをやっているから、俺の仕事を見てほしい』って営業をかけるんです。なかには、そういう営業の仕方を推奨している店もあります。そこの店はマジですごいですよ。女の子が全員歌舞伎町っぽくないんです。で、全員が自分は担当ホストの彼女だと思い込んでる。異様な空間ですよ（笑）」

シンジによると、そうしたいわゆる〝生娘〟のほうが、ホストにハマりやすいという。彼女たちはやがて担当ホストとの関係に悩み、他の店にも試しに行ってみる。そして、もっと楽しい店を見つけて……と、無限ループに陥っていく。そんな彼女たちが、明け方に牛丼を食べながらホスト談義をしているのだ。

以上、今回は「生娘シャブ漬け」発言から、ホストクラブへの依存性について考えてみた。

蓮
OVER
FGHD
No.2 うきょまる
時代はフ

5月6日

正体不明の「ヤバい新歓」で、歌舞伎町堕ちしかけた大学生

コロナ対策のための規制が緩和され、都内の大学では続々と対面授業が復活。部活動やサークルの活動も行えるようになり、新入生歓迎会、いわゆる「新歓」がこの4~5月は盛んに開かれている。

新歓はたいてい、大学の最寄り駅の居酒屋などで開かれる。安い居酒屋でメニューの写真よりもだいぶショボくれた一品をつつき、安酒で悪酔いした挙げ句、数千円取られ衝撃を受けるというのが新入生のある種の洗礼とも言えるだろう。

しかし、安酒で高めの会費を取られるのはまだマシ。歌舞伎町では、さらに「ヤバい新歓」が頻繁に開かれている。

歌舞伎町には200軒以上のバーがあるとされている。業態はさまざまだが多くのバーが深夜0時から朝までの営業時間だ。そうしたバーが、新歓をする学生へ早い時間帯に店を貸し出している。開催時間はだいたい夜8~11時。2000~3000円前後で飲み放

題、カラオケ、ダーツありと謳《うた》って集客を行う。

「ホント、そもそも集合場所が歌舞伎町の時点でもっと危機感持てばよかった……」

そう語るのは歌舞伎町で行われた新歓に参加したユリカ（仮名・19）。東京に上京してきたばかりの彼女は、友達作りと東京のキラキラした空気への憧れから、某有名大学のスポーツ、イベントなど活動領域の広いオールラウンドサークルの新歓に足を運んだという。

「他大学の学生と一緒に活動するインカレはヤバい、ってイメージはあったけど実際はよく知らなかった。歌舞伎町も東京出身の同級生が『映画とか見るのに普通に行く』って言ってたから、気軽な気持ちで行ってみたら、飲み会の場所は怪しい雑居ビルにあるバーでした。カクテルとかそういうオシャレなお酒が出てくるバーだと思ったら全然違った（笑）」

ユリカは安い緑茶と焼酎を混ぜたものをグラスに注がれ、次々に飲まされた。

「自己紹介もとくになくガンガン飲まされる。断るのも空気壊すし……みたいな感じで。大学は本当にバラバラ。なんなら大学生じゃない人もいました。スカウトとかバーでバイトしてる人とか……」

身の危険を感じ、ユリカは途中で新歓を抜け出した。その後、同じような飲み方をするサークルはたくさんあると知って驚いたという。

「何も知らない新入生の女の子とヤるためだけの新歓も、普通にあるみたいです。私も、あのまま飲み続けていたらヤバかったかも。女の先輩もそれをアシストしたり、面白がるから助けてくれないみたいな話を聞いて、東京はホントに怖い場所なんだなって驚きました。集合場所に歌舞伎町のバーを指定しているインカレサークルとオールラウンドサークルには、かなり注意したほうがいいかもしれないです」

SNSを見ていると、「軽い気持ちで参加したらヤバい新歓だった」「あのサークルはマジで気をつけたほうがいい」といった投稿が数多くあがっている。何の活動をしているか得体の知れない団体には、注意が必要だろう。

ユリカの話でも触れられていたが、そうしたサークルで出会った男が実はスカウトで、風俗業を斡旋されることもある。ホストが紛れ込んでいて営業をかけられる可能性もある。実際、筆者の知り合いは、大学の新歓で知り合ったホストの男に貯金をすべて吸い取られ、ソープで働き過労で倒れた後、気づけば退学をしていた。新入生には自分の身は自分で守って、楽しい東京での学生生活を送ってほしいものである。

5月20日

好きで好きで仕方なくホストを刺した女

ジャニーズJr.のグループ「7《セブン》MEN《メン》侍」のメンバー佐々木大光（19）に対し、ストーカー行為をしたとして、5月18日までに横浜市の女子高生（17）が逮捕された。約1ヵ月間に4回にわたって待ち伏せをしたほか、渋谷駅の構内でカッターナイフを突きつけて脅した疑いがある。彼女は取り調べに対して「路上で一目惚《ひとめぼ》れし、佐々木さんのことしか考えられなくなった」と供述しているという。

「好きすぎて襲う」という犯行理由がショッキングな事件として取り上げられたが、実は歌舞伎町ではこの手の事件はよく起きている。

ホストと話していると、「家を特定され、窓ガラスを割って侵入された」「AirPodsを貸したら、そこからBluetoothを使って居場所を把握され続けていた」「バレンタインにもらったチョコレートに生理の血が混ぜられていた」といった話をよく聞く。ホストクラブに行くお金がなくなった女性に、営業後の店前で待ち伏せされたなどは序の口。ちょっとした刃傷沙汰《にんじょうざた》や警察が出動するような事件も日常的に起きている。

たとえば、２０１９年５月に起きた殺人未遂事件はメディアでも大きく取り上げられた。歌舞伎町のガールズバーで働く女が、ホストを包丁で刺した事件である。女は「好きで好きで仕方なかった」と供述。自宅マンションのエントランスで血みどろになっている姿は大きな話題を呼んだ。

昨年６月には、歌舞伎町の有名キャバクラ嬢が、友人女性の交際相手の男性を刃物で刺し、その様子が動画配信サービスで公開されていたという事例も。「殺さないと幸せになれない！」という叫び、男性のうめき声、友人女性の泣き声……。そうしたもろもろがネットでリアルタイム配信されるという事件だった。

「刺したいくらい好き」「殺したいくらい好き」などといった言葉は、歌舞伎町では一種の愛情表現であり、「死ぬときはお互い刺し合って永遠の愛を誓おうね」みたいな営業ＬＩＮＥがホストから来ることもよくある。だが、実際に刺す行為にまで至ってしまう男女が多いのも歌舞伎町なのだ。

とあるホストのＹｏｕＴｕｂｅ動画で興味深いものがあった。『【ホスト殺傷事件】女性客に包丁で刺され病院に搬送されたホストに密着。ホストの世界に潜む恐怖とは』というタイトルだ。その動画のなかで、今年２月に指名客に刺されたというホストがインタビューに答えている。

お店を出禁にした客が店に押しかけ、その客から脅迫を受ける。営業後に客の家に行き、話し合いが決裂した結果、ワインボトルで頭を殴られるなどの暴行を受け、包丁を振り回されたという。挙げ句には腹部と手を負傷し、警察に通報して病院に搬送された。刺された瞬間に考えたことは「これをSNSに上げればバズって客が増えるのでは」ということ。実際、刺されて血だらけの状態でツイッターを更新し続け、知名度アップを狙ったという。なんとも商魂たくましいホストである。

こうした事件が頻発して麻痺《まひ》しているのか、歌舞伎町の住人たちは多少の怪我《けが》では動じない。筆者の知り合いのホストは、指名客と揉《も》み合いになった際にピアスを引っ張られ、耳たぶを欠損。「鼻を整形しようと思ってたけど、その前に耳たぶだわ」とあっけらかんと語っていた。それを笑って聞いていた私も数日後に飲み屋でピアスを引きちぎられ、歌舞伎町の異常さを改めて思い知ったのである。

2019年5月の殺人未遂事件。ホス狂いの女性が、血まみれになったホストの横でタバコを吸う様子が衝撃を与えた

5月27日

歌舞伎町の住人たちを癒やす「三大食堂」

多種多様な人間が存在する歌舞伎町には、多種多様な飲食店がある。そのなかで、酒ばかり飲んで肝臓を酷使している夜職の人間たちに愛されているのが、定食屋だ。歌舞伎町には「三大食堂」と呼ばれる三つの有名な定食屋があり、絶大な人気を博している。

1軒目のA食堂は、歌舞伎町の比較的手前（入り口付近）にあることからサラリーマン人気も高い。各種定食に加えカレーや丼ものも豊富だ。昔ながらの定食屋の空気を感じる味わい深い店である。

店のすぐ目の前には、ごく小さな公園がある。公園のすぐ横には店舗型ヘルスが鎮座しており、あまり子供向けの場所とは思えないのだが、たまに小さな子が一人遊びをしている姿も見かける。

2軒目のB食堂は、スカウトとキャッチが尋常じゃないくらい存在する歌舞伎町のメインストリートに店舗を構える。2020年に伝説のホストクラブ「愛 本店」のビルが老朽化によってなくなるまでは「愛本通り」とも呼ばれていた。

そんなメインストリートに位置するB食堂はホストもホス狂いの女も超御用達である。歌舞伎町の飲食店の特徴として、奥地に行けば行くほどスーツを着ている人間の数が一気に減っていく。夕方から朝4時までやっているB食堂は、同伴やアフターに持ってこいだ。奥には半個室席も存在し、たまに営業後のホストがやんややんやと宴を開いている。刺身の種類が豊富で、新鮮な魚と白米をほおばれる。

最後のC食堂は歌舞伎町の最奥にある。スカウトもキャッチもほとんどおらず、周りは寂《さび》れたラブホテルとデリヘルの待機所しかないような場所だ。

朝6時まで営業と三大食堂のなかで最も営業時間が長いのも特徴。「女性一人では行きにくい立地」「夜の治安は良くはない」などという声も聞くが、深夜2時頃のホストとその客とカタギじゃなさそうなコワモテのお兄さんしかいない店内は、まさしく歌舞伎町の風景と言えるだろう。

居酒屋を兼ねた営業形態で、店内にはキープボトルがズラリと並んでおり、なじみ客の多さを感じる。定食に加え、酒のつまみになるような一品料理も多い。とはいえ、あまりに周りの会話がカオスで、おいしい料理よりそちらに興味をそそられる日もある。

「もう無理、ホスト辞めたいっす」。定食屋に来て開口一番そうこぼす新人ホストに、「まぁまぁ」とメニューを渡しながら話を聞く先輩。注文後、水をちびちびと飲みながら新人は心境を吐露する。

「初回の女ってなんであんなに図々しいんですかね。会って最初っから悪口というか。『性格悪そうな顔してるね』とか『絶対整形してるでしょ』とか。そのくせＬＩＮＥ交換したら『どこまでできるの』とか、『売れてないくせに生意気』とか。お前カネ使ってないのにうるせぇって思っちゃって。もう連絡返してないっす」

そんな彼を先輩はなだめ、うまい定食を奢《おご》って店を後にする。

入れ違いで入ってきた女性客二人はどうやらホスト帰りらしい。「今日の店ハズレしかいなかった」「こっちが客なのに気を遣わなきゃいけないなんてありえない」。愚痴をこぼしつつ、煮魚定食にがっつくと店を出ていった。

歌舞伎町の住人たちの「本音」がにじみ出る深夜の定食屋。歌舞伎町で発見したときには、ぜひ一度入店してみてください。

399円
299円
自転車を除く

第2章

夏、若者に揉まれる52歳おじホスト

夏。陽炎《かげろう》が揺らめく歌舞伎町のコンクリートには、丸々と太ったネズミの死体が散乱していた。歌舞伎町は人が死にがちだけど、「死にたい」って言いながらたくましく生きている人間もなかなか多い。ホストクラブに通い始めて5年目。シャンパンタワーで盛大に遊び、知り合いの編集者を連れまわしてホストクラブを巡り、ついに「昔の文豪みたいですね」という絶妙な評価を受けた。

6月3日

カネの力でホストを支配するDV風俗嬢

6月1日、ジョニー・デップが元妻アンバー・ハードを名誉毀損で訴えた裁判に勝訴し、アンバーに対して1500万ドル（約20億円）の支払い命令が下った。アンバーに対してDV（親密な関係における暴力）を行っていたとされたデップだが、裁判中には、むしろデップがアンバーからDVを受けていたとの報道も飛び出し、大いに注目を集めた。

歌舞伎町でも、DVに関する話題はよく出る。客のオンナにホストが暴行するといった話は昔からあるが、最近になってよく耳にするのは、女性から男性へのDVやモラハラである。

「女の子が主導権を握ってる、っていうか稼げてる女の子はやっぱ強いよね。歌舞伎町はお金を稼げるのが正義って街だから、余計にモラハラは起きやすいのかも……」

そう語るのは、歌舞伎町で長年遊んでいるハナ（仮名・27）だ。ハナの友人は、カネの力でホストを支配下に置いていているという。

「売れないホストと付き合ってる友達がいるんです。その子は人気のソープ嬢で、そのホストの売り上げのほとんどは彼女が支払っているもの。だからケンカすると暴言がすごいんだよね。『お前なんて私がいなかったら一円の価値もないゴミのくせに』とか。酔って手が出るときもある。『殴ったら打ちどころ悪くてアイツめっちゃ血が出ちゃってさ(笑)』って笑いながら血だらけの彼氏の写真を見せられたときは、どう返していいかわからなかったな……。その友達たちだけじゃなくて、売り上げのために相手の暴言や暴力に耐えてるホストは少なくないですね」

DVやモラハラはホストに対するケースだけではない。パパ活女子のなかには、自分のパパを相手に過激なモラハラを繰り返す人もいるようだ。パパ活女子のミサ（仮名・19）が言う。

「私のパパに聞いた話なんですけど、2~3年前に長期で会っていたパパ活相手の女の子から、かなりやられていたらしいんです。私のパパはけっこうおどおどした気の弱い感じで、怒鳴られると言いなりになっちゃうみたいな人。『使えない』とか『気持ち悪いんだよ』とか会うたびに怒鳴り散らされて、精神的に追い詰められてたみたい」

その男性は度重なる暴言に耐えきれず、別れを決意。するとモラハラはさらに激しさを増したという。

「『そうやって私を追い出したいわけ!?』とキレられたらしいです。なかなか別れられなくて、ずっとモラハラに苦しめられ、最後には精神科に通うまでになった。その相手の子がパパに飽きて何とか別れられたけど、その話をするときはいまも辛そうです。その子みたいに、オジサンを管理してイジメて楽しんでる、みたいなパパ活女子はわりといるんです。相手を支配しないと気がすまないみたいな。オジサンと過ごすのが苦痛なのはわかるけど、お金をもらっている以上ビジネスなんだから、相手を楽しませるべきだと思うんですけどね……」

若い女性に癒やされたいと思って始めたパパ活でモラハラに苦しめられるとは、これほど悲しい気持ちになることがあるだろうか。しかし、当のモラハラ加害者のパパ活女子たちは、「気持ち悪いオジサンはひどい目にあって当然」とまったく悪びれないケースがほとんどだ。

被害者となった男性たちの切実な声を聞いていると、「まあ歌舞伎町だし」で片づけてしまっていい問題なのだろうかと思ってしまう。

6月10日

ホワイト企業を探し求めた元サラリーマンホスト

ホストほど学歴や職歴がバラバラな職業は珍しい。高校生のときから歌舞伎町に入り浸っていた人もいるし、名門大の現役学生もいる。だが、最近になって増えてきていると感じるのが、アラサーになってから転身した元サラリーマンホストだ。大学卒業後にやりたいこともなくて……といった感じではなく、ちゃんとした企業に就職した人がホストを選んでいるのだ。

「以前は大手ゲーム会社の子会社にいました。同世代の人に比べれば、わりと給料はもらっていたほうだと思います」

そう語るのはホスト歴2週間のシュン（仮名・31）。今年3月に会社を辞め、数ヵ月のニート期間を挟んでホストデビューした。

「会社勤めする前から、ホストをやってみたいと思っていたんです。給料は青天井だし、自分を客観視するきっかけにもなる。前の仕事ではゲームのシナリオを作ってたんですけど、ホストクラブで働くってちょっとゲーム性があるから似てるなとも思います」

いまはまだ会社員時代のほうが給料はいいが、働き甲斐《がい》が圧倒的に違うという。

「毎日違う人に会えるのは新鮮です。あと会社だと、自分の生涯年収が見えちゃうじゃないですか。うまくいかなかったらまた昼職《ひるしょく》に戻るかもしれませんが、行けるところまではホストとして頑張ろうと思っています」

大手コンサル会社から転職して2年目のサトル（仮名・33）は、月収300万円近くを達成している中堅売れっ子ホストだ。月の最高売り上げが

元サラリーマンホスト（左端）の「ここりく」さん。職場には転職組が少なからずいるという

600万円を記録したこともある。

「ホストは個人コンサルに近いですね。女の子のモチベーションとか性格とかを見極めて、どんな会話が好きかとか、どんな営業したらハマるかをいつも考えています」

会社員経験のあるホストならではの強みもあるという。

「女の子のなかには『ザ・ホスト』みたいなブッ飛んだヤツが好きな子もいるけど、昼職のしんどさをわかってくれるようなホストを求めている子もいるんです。お金を稼ぐ大変さを知ってるよ、ってアピールはポイント高いっすね」

元サラリーマンホストが増加している背景には、昨今の経済状況も少なからず関係しているようだ。広告代理店の営業からの転職組であるソラ（仮名・30）はこう語る。

「コロナ禍で、サラリーマンが安定してる、なんてのは幻想ってのがわかったじゃないですか。やってみてわかったんですが、ホストの楽さは味わうとなかなか抜け出せない。スケジュールは自分で調整できるし、急に会社に呼ばれることもなく、残業もない。社員旅行もゴールデンウイークもありますし。裏でタバコ吸うのも自由だし、たとえ売れてなくてもクビになることはめったにない。自由すぎる環境なうえ、売れればサラリーマンじゃ考えられない収入を得られますからね」

コロナ禍以外にも増加の理由はある。「オジサンホスト需要」の高まりだ。昨年の歌舞伎町年間最高売り上げである5億2０００万円を叩き出した有名ホスト、降矢《ふるや》まさきは32歳。また、40代の月間1０００万円プレイヤーも誕生している。大人の余裕を感じたい女性客が増えているのである。

「若くないと稼げないわけじゃなくなったいま、ホストは転職先としてかなりイイと思うよ」（ソラ）

自由や収入を求めてホストになった元サラリーマンたち。ちなみにホストはサラリーマンとの兼業バイトも可能なので、気になった方は一度体験入店に行ってみてはいかがだろうか。

6月24日

逮捕された「トー横」のカリスマ〝ハウル〟

「ハウル逮捕ってマ—!?ｗｗｗ」（※「マ—」はマジの意）

6月22日、16歳の少女にみだらな行為をしたとして、小川雅朝容疑者（32）が逮捕されたとの一報が流れると、SNSにはこんな投稿があふれた。

小川容疑者は、ボランティア団体「歌舞伎町卍会《まんじかい》」の総長「ハウル・カラシニコフ」を名乗り、トー横キッズに食料や衣服の差し入れなどを行っていた。「子供たちを守る」ことを活動目的としていた人物の淫行による逮捕は話題を呼んだが、実際のトー横キッズから見てハウルはどんな評判だったのだろうか。

ハウルが歌舞伎町での活動を始めたのは、昨年の夏、トー横キッズがメディアで取り上げられるようになった頃からだとされる。少年少女らと一緒にしゃべり、飲み、ときには相談にも乗っていた。トー横の初期メンバーであるアユム（仮名・19）が振り返る。

「ハウルが女の子に手を出してるっていう噂は、前からずっとあったよ。炊き出しとかしてくれるのはありがたかったけど……。ハウルにも未成年の子と仲良くなりたいっていう気持ちがあったのは間違いないと思う。なかには、ハウルにすり寄っていく子もいただろうしね」

トー横は当初、少年少女たちが、彼らだけでたむろする場所だった。しかし、ハウルのような〝大人〟が入ってきたことで、徐々に様子が変わってきたという。

「トー横の初期メンバーは、ハウルたち『卍会』から嫌われている印象だったな。『アイツは酒癖が悪いから出禁』『アイツは謝ってきたから改心した』みたいなことをハウルが勝手に決めていた。なんでこんなよくわからないオッサンにルールを決められなきゃいけないんだって思っていたメンバーは少なくないし、実際に嫌気がさしてトー横に姿を見せなくなったヤツもいる。ハウルのような〝大人〟が支配しようとするようになってから、トー横はおかしくなった」（アユム）

トー横がメジャーになるにつれ、出入りする〝大人〟は、どんどん増えていった。最近までトー横に集まっていたミライ（仮名・17）が語る。

「いまの治安はホントにヤバい。前は高校生から20代前半がほとんどだったんだけど、いまは小学生から10代前半が一番多い。そんな子供たちを使って何かしようっていう大人もいっぱい入り込んできて、マジで無法地帯」

「居場所がない可哀想な未成年」というレッテルがついたことにより、それを免罪符に飲酒・喫煙・軽犯罪をなんとも思わないような子も増えているという。ミライが続ける。

「トー横に来る〝大人〟はみんな『子供を守りたい』って言ってる。でも、普通に遊ぶぶんには楽しいけど、関係が深くなるとヤバい人だったとわかることが多い。今回はたまたまハウルが逮捕されたけど、まだ捕まっていないだけで淫行や買春をしてるヤツはいっぱいいいると思うよ」

ＳＮＳ上ではすでに、ハウルと同じボランティア団体に所属していた人たちの声明発表、トー横に出入りしていた少年少女たちによる無数のタレコミ、新しい清掃団体のアカウントの誕生など、目まぐるしい動きが起きている。これを見るだけでも、〝大人〟が入り込んで複雑化していることがよくわかる。

ハウルは送検の際、「帰ったらメシ作ってやるからな！」と叫んでいたが、彼らのような〝大人〟たちの存在こそが、トー横を無法地帯にしているのではないか。

7月8日

歌舞伎町がザワつく最強キャバ嬢、「億女」

歌舞伎町のキャバクラで、新たな「億女《おくじょ》」が誕生した。億女とは、月に1億円以上を売り上げたキャバ嬢のことを指す。元祖億女といえば、昨年3月に書籍を出版して話題を集めた一条響だが、今回の億女は一条と同じ歌舞伎町のキャバクラ「フォーティーファイブ」に在籍する星野ティナ。キャバ嬢と社長業を兼業していたカリスマ、愛沢えみりなどを輩出した名門店舗である。

星野ティナは弱冠21歳。キャバクラで働き始めて1年足らずで月の売り上げ6000万円を達成。そして翌月の6月は自身のバースデーイベントで5000万円のシャンパンタワーを積まれるなど稼ぎまくり、億超えを果たした。

億女には及ばなくても、月に1000万円を超える売り上げを叩き出すキャバ嬢は増えてきている。世の中は不景気のはずなのに、なぜ、キャバ嬢だけがこうも景気がいいのだろうか。

彼女たちの売り上げを支えているのは、どうやら一部の太客《ふときゃく》のようだ。キャバ嬢歴2年のエマ（仮名・22）が言う。

「そういう太客のオジサンたちの仕事は、正直、謎（笑）。投資会社の社長とか、不動産屋の社長とか名乗っている人が多いけど、ホントにそうなのかはわからない。案外、イケイケのベンチャー社長みたいなのは太客にはならないですね」

キャバクラ嬢に大金を使っている客のなかには、「キャバ狂い」というアカウントでSNSにキャバ嬢との物語やキャバクラの通い方の美学などを発信している人も多い。キャバ嬢に数日で1億円以上貢いだオジサンの会社が、その時期に現金引き出し不可になり界隈がザワついたこともあった。こうした太客が現れるいま、「万人ウケする接客や容姿を磨くよりも、激太客にブッ刺さることが大事なのでは」と言われている。

一方のホストクラブも、ある程度の太客の存在が大切になる。ホストクラブの場合、客の半数以上が夜職で稼いでいる女の子である点でキャバクラとはかなり客層が違うのだが、夜職でゴリゴリに働いている女子の稼ぎは頑張って月に200万円前後。そこからカリスマ夜職が月収300万円を超え、パパ活や海外ソープへの出稼ぎなどを行うツワモノが500万円超えの世界戦に突入するというのがザックリした階層である。

しかし、経営者やお嬢様、謎のマダムといった客も一定数存在する。彼女たちは毎日汗水たらして担当ホストのために頑張っている夜職の女の子の横で、その何倍もの金銭を軽々と使う。

某有名ホストの極太客は、既婚者のカリスマインスタグラマー。そのホストは「他の客はいらん」とばかりにその極太客を「彼女」とインスタで言い切り、おそろいのブルガリのアクセサリーをプレゼントするなど仲睦まじい姿を見せている。

そんな彼の売り上げは極太客登場で跳ね上がり、6月は5000万円突破、今年の売り上げは現時点で1億円を超えている。今年のホストクラブの最高売り上げ更新は、彼にかかっているとも言われている。

ただ、こうしたバブルの背景で、借金地獄に苦しんでいる者も少なくない。「ナンバーワン」の称号欲しさに、自腹を切って売り上げを出すホストはキャバ嬢の比ではないほど存在する。「水道料金が払えない人気ホストもいる」（歌舞伎町の事情通）という。

一人の太客で数字を出せる令和の時代における、「本物」のキャバ嬢、ホストとは何なのだろうか。

ホストの誕生日に建てるシャンパンタワー。太客は惜しげもなく金を落とす

7月29日

ホストクラブの入り口に大金を置いて帰る女

歌舞伎町にはさまざまなお金の使い方をする女性たちがいるが、なかでもとりわけ不思議な存在なのが、今年で28歳になるモエカ（仮名）だ。なんと彼女は、ホストクラブのフロアに足を踏み入れずに、入り口のレジに大金を置いて帰るのである。少し前には、100万円を店に入らずに置いてきたらしい。店に入らず使う、とはいったいどういうことなのか。

「担当のホストが『あと100万円売り上げ足りない』って言うの。飲む気分じゃなかったから、キャッシャー（精算を行うカウンター）にポンってお金置いて出てきた。お金使ったって事実があればよかったんだよね」（モエカ）

モエカは関西出身だ。高校卒業後は関西で会社員をしていたが鬱になり、その後はとくに目的もないまま上京し、風俗で働いて稼ぐようになったという。

「もともと整形したいって思ってたのもあって、整形費用を稼ぐために風俗を始めた。夜の仕事をしている子たちとツイッターでつながって、そこからホストクラブに誘われて……。めちゃくちゃありきたりなパターンかもね（笑）」

当時、担当ホストに頼まれて毎月150万円ほど使っていたというモエカ。その後、別のホストにハマり、2年以上指名し続けた。

「一目惚れしちゃった。本当にきれいな顔だな〜って思って。私もともとLINEとか苦手だし、日常会話とかいらないから、ホストクラブ行っても全然しゃべらない。向こうからしたら何にお金使ってるのかわかんなかったかもしれない（笑）。でもホストにハマるようになってから、風俗の稼ぎは確実に上がったと思う」（モエカ）

吉原の高級ソープで人気嬢として働いていたモエカだが、さらにお金を稼ぐために、デリヘルの掛け持ちや海外出稼ぎなど、あらゆる稼ぎ方を試したという。

「ホストクラブでめっちゃ使うぞ！って目標があると一応働く意味があるっていうか。働かないと暇だし。お金の使い道ないのに働いちゃう。ソープが休みの日は出会い喫茶行ったり、パパ活やったり。ホスト行くか、寝るか、オジサンと会ってるかって感じ」

そんなモエカがハマるホストとは、いったいどんな人なのだろうか。

「ちょっとブッ飛んでる人のほうがいい。変な色恋営業をしてくるんじゃなくて、予想できないような突拍子もないことして振り回してくれる人。あと年齢的に結婚も考えちゃうから、そういう話されると少し弱いかも……。でも基本、売れっ子しか好きにならないな。ブッ飛んでる売れっ子。私が『エース』になれないくらい人気があって、いつまでも追いかけていられるような感じ」

エースとはホストにとっての一番の太客のことを指す。モエカにとってホストにお金を使うのは、「エースを目指すゲーム」に近い感覚があるという。ゲームだからこそ、彼女はホストクラブに入らずに、レジにお金を置いて帰ることもするのだ。

モエカの例は極端ではあるが、歌舞伎町には、「お金をただ使うこと」が目的化している女性が少なくない。こ

友人から借りた札束を持ってはしゃぐ筆者。歌舞伎町には大金を持ち歩く女性も多い

れだけお金を使っている、消費しているという感覚は、自らがそれだけ稼げるという存在価値の裏付けにもつながっているのではないだろうか。

最後にモエカに、「ホストに何を求めているの？」と聞いたところ、彼女は少し考えた後「思考停止」と言った。ホストクラブに通う女性の目的は、なかなかどうして奥深い。

8月19日

梅毒急増中！ 恐怖の「性病プリンセス」

日本で梅毒《ばいどく》の感染者が急増している。国立感染症研究所によると、7月の時点で感染者数は全国で6000人を超え、昨年の同じ時期の1・7倍になっているという。このままのペースで増えると、現在の統計を取り始めた1999年以降で初めて、1万人を超える可能性が高い。

年代別での調査結果を見ると、男性は20～50代と全体的に感染者が出ているなか、女性は20～24歳の数字が突出している。

全国で最も感染者が多いのはもちろん東京で、歌舞伎町の住人たちは、いつ自分が罹患《りかん》してもおかしくないと戦々恐々としている。

「ぶっちゃけ、性病検査って店によっては義務じゃないのよ」

そう語るのは歌舞伎町のデリヘルで働くマドカ（仮名・22）だ。

「高級ソープとかはS着《エスちゃく》（コンドーム着用）でも性病検査が毎月必須な店もあるけど、安いソープとかデリヘルだったら『やっといてね』くらいの軽い感じだったり、感染しているかどうかも自己申告だったりする。なんなら、『性病になってても客にうつしてやりたいから出勤する（笑）』とかツイッターにつぶやいてる風俗嬢もいるくらいだしね……。客に対しての性病検査をするところなんて聞いたことないし、ホントに風俗業界は性病に対してユルい」

SNS上には最近、そんなユルさを象徴するようなアカウントも現れた。川崎の某ソープランドに在籍している嬢が、インスタグラムのストーリーに「梅毒なったかも」「いま淋病《りんびょう》とクラ（ミジア）とコンジローマは確定してる」などと投稿。彼女は、自身のことを「性病プリンセス」と称した。

プリンセスが在籍するソープの別の嬢が店舗側に確認すると、投稿をした後も変わらず出勤し続けていることが発覚した。彼女の存在は、風俗業界に携わる人間だけでなく、客の男たちをも震撼《しんかん》させた。

その後、性病プリンセスは在籍店舗を次々と変更。都内のデリヘル→ホテヘル→チャイデリ（中国人向けのデリヘル）と移り、そのたびにSNS上で特定&拡散が行われ、ついには彼女を性病感染者と知りながらも店舗に紹介していたスカウトらしき人物も特定された。同業者からすれば、性病感染のまま働く嬢の存在は危険なので当然と言えば当然の流れである。

次は自分がプリンセスを指名したことのある客に当たることになるかもしれないと、二次感染を恐れる女性も相次いだ。

スカウトのマサト（仮名・28）が言う。

「性病になって高級ソープを出勤停止させられると、すぐに別のデリヘルに移るという子はいる。キャバクラに行ったたって枕営業する子もいるし、パパ活なんて個人同士だから当たり前に高リスク。歌舞伎町や川崎、吉原だけじゃなくて、港区でも梅毒が流行っていると聞きます。女の子を責める男は多いけど、客が性病をバラまいてることだってある。風俗嬢や客に、直近1ヵ月の性病検査表の提出を義務付けたりするしか方法はないと思います。でも、そんなことすれば売り上げは間違いなく落ちるから、店側はやりたがらない。いまのままなら、性病は増える一方でしょうね」

夜職の人のなかには金銭的に困窮しており、それらしい症状が出ていても生活のために働き続けているケースもある。梅毒をはじめとした性病を減らすためには、コロナ禍で習慣づいた手洗い・うがい・マスクに加え、定期的な性病検査もルーティン化する必要性があるだろう。

8月26日

ランク付けされる「交際クラブ」女子

若い女性の間での小遣い稼ぎといえばパパ活が隆盛だが、コロナ禍でじわじわと人口を増やしているのが「交際クラブ」である。「身バレしません！」「会員制なので安心！」といった謳い文句に誘われ、最近は、女の子のほうが多すぎる供給過多状態にまでなっているという。

交際クラブとは、いわば「会員制のデートセッティングサービス」であり、女性は無料でクラブに登録、男性は会費5万～50万円ほどで女性にデートのオファーを出すことができる。会費の高い会員になればなるほど、出会える女性のランクも上がる。交際クラブによってその内容はさまざまだが、男性の身分調査・年収審査等もあり、女性からすると「リッチで紳士的な男性と知り合える」という利点がある。男性からしても、「ハイクラスな女性とリスクなく遊ぶことができる」というわけだ。

男女双方にとって都合が良さそうだが、その実態はどうなのか。交際クラブ歴2年のアヤミ（仮名・22）が、その最新事情を語る。

「新規で登録すると一気にオファーが来て、そこで継続的なパパを見つけないとキツい感じかな。一度オファーが来なくなったら、その後もほとんど来ない。だから交際クラブを転々としたり、水商売とか風俗と掛け持ちしてる子もけっこう多いよ。主婦でなんとなく登録してるって人もいる。『芸能事務所直結』とか謳っててレベル高いところもあれば、『さまざまな女性が在籍』って言ってほとんど全員採用しちゃう店舗もある」

交際クラブでは登録後、女性会員には見えない形でランクが決められ、セッティング料金が設定される。ある人気の店舗では、そのうえで女性の「タイプ」を相談して決めているという。「タイプA：食事だけ希望」「タイプB：初回は食事だけ。気が合えば2回目以降のデートで交際に発展する可能性あり」「タイプC：初回デートから交際に発展する可能性あり」「タイプD：初回デートから交際に発展したい」という具合だ。この「交際」というのはつまりはセックスのことである。交際クラブが売春を斡旋するのは違法なため、あくまでクラブは「デートのセッティング」までが仕事。その後のセックスは「男女の自由恋愛」という体《てい》である。

一方で、こうした「自由恋愛」の体裁を守っていない店舗もあるという。

「メールで会員に女の子の写真が届くんですよ。ホラ」

交際クラブに登録して3年になるというヒデキ（仮名・53）は、そう言ってスマホの画面を見せてきた。

「会員限定のメールには顔はもちろん、スリーサイズや趣味も書いてある。僕が登録している交際クラブはモデル級に可愛い子ばかりなんだけど、ホラ、写真の下に『S8』とか『S12』ってあるでしょ。これがその子たちの身体の値段。Sはセッティングの略ってことにしてるけど完全にセックスのことなんだよね（笑）。交際クラブは大体食事＋セックスで合計4時間が基本。4時間で8万円だと考える

交際クラブには、20歳前後の若い女性からアラフォーの主婦まで、さまざまな女性が登録している

と、高級風俗より断然お得だよ」

パパ活アプリのような無法地帯ではなく、面倒なやり取りもなくタイプの女性とマッチングする。そう考えると交際クラブは男女の出会いの「手間」を省く業態と言えるだろう。とはいえ交渉力がモノを言う世界ではあるため、男性がぼったくられたり、逆に女性がとりっぱぐれたりといったトラブルはつきものである。

9月9日

乳揉みから脱糞まで……多種多様な「クソ客」

俳優・香川照之《てるゆき》(58)の「銀座クラブホステス暴行事件」には、歌舞伎町の夜職女性たちも大盛り上がりだ。

「高いお金もらってるんだから、このくらいのリスクは負うべきでしょ」

ネット上にはこういった香川を擁護する意見も少しはあるが、歌舞伎町女子のほとんどは「こういう客いるよね〜!」と怒り心頭だ。歌舞伎町のキャバクラで働くアカネ(仮名・23)が語る。

「歌舞伎町のキャバは黒服もコワモテが多いから、香川照之みたいにブラジャー剝ぎ取りまでやる客はあんまりいないかな。でも、服のなかに手を入れておっぱい揉んでくるヤツはけっこういますね。そこからさらにウザいのが、セクハラを嫌がると『ほかの子はサービスいいよ?』とか言ってくる客。じゃあそっち行ったらいいじゃん、ってカンジ」

セクハラ行為は当然のこととして、その他、キャバ嬢たちが例外なく嫌うのがこんな

「クソ客」だという。

「『客扱いされたくない！』って言い出す人（笑）。何回か来てお金使ってくれてるならまだしも、初回からいきなり言ってくる客もいる。『いやいや、こちらも仕事ですから』ってなる」

キャバクラと似たようなサービスで、現在都心を中心に流行しているのが「ギャラ飲みサービス」だ。アプリで任意の場所に女性を呼ぶことができ、一緒に飲むというシステムである。複数名の女性を飲み会に呼ぶこともできるし、一対一で買い物や食事を楽しむことも可能だ。

そんなギャラ飲み女子の間では、「自己中低評価男」が最も嫌われるという。ギャラ飲み歴3年目のミサ（仮名・25）が明かす。

「身体の関係を迫ってきて、ヤれないとアプリ上で女の子に低評価をつけるヤツ。なかには、『勝手に時間を延長された』みたいなウソの報告を運営にしてまで、女の子の価値を下げようとする人もいる。ダサすぎるよねー」

風俗業界における「クソ客」はさらに多様だ。本番行為を無理やり求めるような客から時間外サービスを要求する客などさまざまだが、最近、風俗嬢たちのSNSで盛り上がっているのが「60分フリー田中」というワードである。

60分のショートタイムで指名をしないで入る客のことで、「田中」というのは風俗を訪れる客のなかで最も多い偽名なのだという。つまり、「ショートタイム指名なしで入る客」のことを総称して「60分フリー田中」と呼ぶらしいが、なぜこの客が嫌われるのか。

「指名料金の2000円をケチるために、こっちがヒマで待機している時間を狙ってフリーで入ってくるの。で、部屋で会ったら、『〇〇ちゃん来ると思って狙ってた！ ラッキー！』とか直接言ってくる。そんなに会いたいなら2000円くらいケチるなよって感じ。正直、相手が『フリー田中』だと、接客も手抜きになりますね」（ミサ）

挙げ句の果てには泥酔して部屋で脱糞《だっぷん》する、まさに「クソ客」までいるというから驚きだ。

カネを払っているんだからと、水商売や風俗の女性をモノ扱いする男性客も少なくないが、そのカネはサービスに対する対価である。それ以上のことを強要したりすれば、当然、「クソ客」認定を受けることになる。

ちなみに、ツイッターで「#クソ客のいる生活」と検索すると、さまざまなクソ客エピソードが見られるので暇つぶしに覗いてみてはいかがだろうか。

B1
防犯カメラ作動中
客引きは条例違反です。
絶対について行かない！
歌舞伎町タウンマネージメント
NO PARKING

9月16日

自分らしさを追求——「働くのが楽しい」52歳のホスト

少子高齢化が叫ばれる昨今、若いイケメンばかりが在籍していると思われがちなホスト業界にも、若者に揉まれながら現役ホストを続ける中年男性がいる。

「ＫＯＫＯＲＯ《ココロ》、52歳です。初めてホストになったのは23年前、28歳のときでした」

そう明るく語るのは、歌舞伎町のホストクラブ「ＡＬＩＣＥ」で働くＫＯＫＯＲＯだ。

「昨日は22歳の先輩ホストに夕飯を奢ってもらいました。この世界では、年齢の上下ではなく、先に店に在籍していた人が先輩なので」と笑いながら、彼はその人生を振り返ってくれた。

「母がアパレルの仕事をしていて、その影響でファッション業界を志して田舎から上京しました。でも、業界の闇みたいなものに触れちゃって……。そんなときに、好きなファッションで働けて、全国からイケメンが集まるホストという職業を知ったんです。何より、僕は自分の本名が嫌いだったので、源氏名という違う名前で、違う人生を始められると感じたのが大きかったですね」

彼がホストの世界に足を踏み入れた当初、いまから約20年前のホストクラブは理不尽な上下関係があり、飲酒の強要や暴力沙汰が絶えなかった。しかしそれでも、KOKOROにとってホストクラブは居心地がよかった。結婚を考えて別の職業に就いた時期もあるが、最近、10年ぶりにホストを再開したという。

「相手の浮気が発覚して結婚が破談になりまして（笑）。昼の仕事を真面目にしていても結局裏切られるなら、ウソだらけの恋愛とセックスがあふれている歌舞伎町にいたほうが傷つかないし楽だなと。10年ぶりのホストはめちゃくちゃキツいです。いまは寮に住んでいるし、指名も売り上げもからっきし。『お父さんより年上なんだけど（笑）』と女の子に言われながら仕事をしています」（KOKORO）

周りのホストは大半が20代だ。指名もなく、彼らのヘルプにつくことで糊口《ここう》を凌《しの》いでいるという事実は辛くないのか――。そう聞くと、KOKOROは明るくこう答えた。

「若い子たちのなかで、いかに自分が不調和な存在にならず、自分らしさを忘れずに接客できるかって考えるのが楽しい。若い子の趣味とかを知り続けられますしね。年齢関係なく、売り上げを上げたヤツが偉いというのがホストの良いところ。いまでも僕は上を目指していますよ。ただまあ、現実は体力が落ちてきていたりしていて昔のようにはいかないことも多く、そろそろ結果を出さないとマズいという危機感は常に感じていますが……」

寮で共同生活を送る若手ホストからも「バイタリティがすごい。いつも出かけている」と言われているそうだが、休日は何をしているのか。

「インスタ映えスポットに出かけるのが趣味なんです。飲食店や展覧会などデザインされた空間は、クリエイターの才能やこだわりを感じさせてくれる。インスタ映えスポットの話でお客様と盛り上がることもありますし、昼間の自由時間が長いホストという仕事だからこそたくさんの場所に出かけられて楽しいです」

何十年も歌舞伎町にいるKOKOROは、どこまでもポジティブだ。

「昔じゃ考えられないくらいの売り上げをたてるホストが続出しているのは面白いです。これからも最前線に立ちながら、この街で生きていきたいです」

体力の衰えを感じながらも懸命に日々を生きる52歳。酸《す》いも甘いも嚙み分けた「おじホス」ならではの魅力を、一度体験してみてはいかがだろうか。

52歳現役ホストのKOKORO。ファッションには人一倍気を遣っている

9月23日

海外の風俗から逃げ帰ってきた風俗嬢

パパ活や風俗の形態が多様化するなかで、海外へ「出稼ぎ」する女子が急増している。円安の昨今、海外での仕事は魅力的だが、勝手がわからない土地での仕事は当然リスクも高い。ホス狂いのマイ（仮名・21）は「海外の風俗店に出稼ぎに行って怖い思いをした」という。彼女が夜職を始めたのは2年前。最初は〝大学デビュー〟のためだった。

「私って、ほんっとーに何もないド田舎出身なんですよ。大学入ってメイクもおしゃれも頑張って、仲いい友達とスキーサークルに入ったんです。けど、スキーの道具ってけっこう高いじゃないですか。奨学金を借りてギリギリで通っている状況で親にも頼れなくて。最初はその資金が欲しくてパパ活に手を出しました。そこからパパ活用のアカウントをツイッターで作って、そこで仲良くなった子がホス狂いで、自分もホストにハマって……っていうパターンですね」

若く、端整な顔立ちでスタイルも良いマイカは、パパ活市場で引く手あまただ。アプリでひたすらマッチングし、3万~5万円の相場で「大人の関係」のパパ活を繰り返しながら、自分にガチ恋した「太《ふと》パパ」から数十万円のお手当を受け取っていたという。

「ガチ恋パパとか本当に無理で。私の人生全部を手に入れようとしてきたり、私の周りの男との関係を全員切らせようとしてきたり。旅行一泊で30万円とかもらえても、行きたくなくて前日はめっちゃ泣いてました。でもそれ以上に担当ホストが大好きだったので、頑張ってたんです」(マイ)

パパ活によって得た金から毎月100万~200万円をホストに注ぎ込んでいたマイカ。だが、今年の担当ホストの誕生月の目標額には届きそうにない。そこで、海外の風俗店で出稼ぎすることを決意した。

「初風俗で海外を選んだの、我ながらヤバかったですね(笑)。しかも大ハズレのヤバい現場引いちゃって。まず着いたら屈強な外国人にパスポートを渡せ、って言われて。さすがに帰れなくなると思って断りましたけど、給料をその日に渡してくれなかったり、誘拐されそうになったりして、本当に身の危険を感じて……。同じ出稼ぎに来てた日本人の子と一緒に『逃げよう』って、荷物全部諦《あきら》めて、パスポートひとつ持って慌てて東京に戻ってきました。稼ぎはゼロどころかマイナス。考えが甘かったです」

某国に出稼ぎに行ったマイは命からがら逃げてくることに成功した。だが、こうした海外出稼ぎのトラブルはかなり頻繁に起きているらしい。筆者が聞いた限りでは「拳銃を突きつけられた」「給料を全部取られた」「知り合いがクスリ漬けにされた」「一緒にいた子が消息不明になった」と語る者もいる。

赤字で日本に帰ってきたマイだが、担当ホストのバースデーは近づいている。その日のために、彼女は日本で夜職を再開した。

「パパ活は、スケジュールを詰めて稼げるときはめっちゃ稼げるけど、交渉がうまくいかなかったり、パパが払えなくなったりすることもある。確実に稼ぐには風俗だなと思って、いまは格安店で稼いでます。店に寝泊まりしながら一日8～10人、毎日15時間くらい出勤して、手元に来るのはだいたい12万円くらい。たまに空いた時間にはパパ活もしてます。キツいけど、海外出稼ぎの怖さを思い出せば耐えられる（笑）。担当ホストの喜ぶ顔が見たいんで、残り1ヵ月くらい頑張ります。毎年担当の横でタワーするのは私、って決めてるので」

そう語るマイカの顔は生き生きとしていた。海外で危険な目にあいながらも、帰国して再び風俗やパパ活で予定を埋めるたくましさ。彼女のようなホス狂いたちが、ホストの売り上げを支えているのだ。

10月7日

ホストにドハマりしたエリート男性会社員

ホストクラブと言えば女性のための場所だと思っている方は多いだろうが、実は男性客も一定数いることをご存じだろうか。ほとんどは同業者かキャバクラ遊びに飽きた金持ちオジサンなのだが、なかには「キャバクラはまったくハマらなかったが、ホストは好き」という若い男性もいる。今年社会人2年目になるタツキ（仮名・25）もその一人だ。

両親ともに東大出身、姉も国立大の医学部に現役合格というエリート家庭で育ったタツキは、幼少期から勉強漬けの日々を送ってきたという。

「ゲームやテレビは禁止で、ずっと勉強ばかりでした。塾や習い事がない日に友達の家でゲームをするのが何よりも楽しみでしたね。小学校のときは不良に憧れて悪ガキグループに入っていたけど、どこか馴染めなかったのを覚えています」

高校では県内トップの進学校に通いながら、野球部に所属。そして、一浪して有名国立大学に入学した。タツキは大学でも野球を続け、卒業後は持ち前の勤勉さと体育会仕込みの体力を武器に誰もが知る超一流企業に就職する。

「古き良き日本企業と言えば聞こえはいいですが、セクハラやパワハラがとにかくひどくて……。しかも、体育会系なのを買われて、会社のなかでも一番ブラックな部署に配属されてしまいました。『○○大卒のクセにこんなこともわからないのか』とか『へらへら笑ってボソボソしゃべるけどホントに野球部？』って言われたり。挙げ句の果てには、『いまの子はこの程度でもパワハラになっちゃうんだよね（笑）』とか言われるんですよ。体育会出身は自分のアイデンティティなので、全然大丈夫っす！って態度でいますが、実際はかなりキツいですね……」（タツキ）

合コンやキャバクラに行けば、大学や会社の名前でチヤホヤはしてもらえた。しかし、超がつく男社会な組織に置かれた自分の辛い気持ちをわかってくれる人はいなかった。

そんなとき、知人女性から誘われたのが歌舞伎町のホストクラブだったという。単なる興味本位で訪れたホストクラブは、タツキにとって想像以上に楽しく刺激的だったようだ。

「まず、ホストってシンプルに話が面白いんですよ。俺みたいな陰キャには興味のないチャラ男ばかりだと思っていたんですが、キラキラした陽キャや意外とオタクな子もいて。寮生活をしているからか、ホスト同士の仲間意識も強くて、高校の野球部を思い出しました」

そんな居心地のよさに惹《ひ》かれ、やがてタツキの足は自然と歌舞伎町のホストクラブに向かうようになった。最大の魅力は、「男に褒められることの気持ちよさ」だという。

「男社会を知らない女性に仕事とか経歴のことを褒められてもまったく気持ちよくない。でも、競争社会を生きているホストに褒められると、ちゃんと俺を見てくれてるなって思えるんです。もちろん向こうは仕事でお世辞を言っているのはわかっているんですが、同じ男同士で色恋が通じないからこそ、本当の自分を評価してくれている気がする」(タッキ)

仕事の合間を縫って、月2回ほどホストクラブに通っているタッキ。さまざまな店舗を巡り、「推し」ホストもできた。

「同じ野球経験者のホストさんなんです。カッコいいのに気取っていないところが好きですね。彼が『シャンパン入れてもらうのって本当にありがたい。本気で声出して恩返ししたい』と言っていたので、ボーナスが出たらシャンパンを入れてあげるつもりです」

日々、仕事の良し悪しで社内評価を下されているタッキは、シャンパンを入れるとそのホストがどれだけ店で評価されるのかも知っている。「一緒に夢を追いかけよう」が、ホストが女性客に語る常套《じょうとう》句だが、男だからこそ、女性とは違う視点で「ホス狂う」人間もいるのである。

ホストと談笑するタツキ（左）。エリートならではの苦しみから解放されるという

10月13日

未成年への高額請求を憂うメンズコンカフェ店員

夕方の歌舞伎町は、ここ数年でずいぶんと様変わりした。小学生のような少年少女がトー横にたむろしているだけでなく、そこかしこの路地では呼び込みをする「コンカフェ」のキャストの姿が大量に見られるようになった。

コンカフェとは、「コンセプトカフェ」の略で、〈学園系〉〈妹系〉などのコンセプトに沿った世界観でキャストが接客をする飲食店だ。お気に入りの店員と1000円程度で「チェキ」を撮ったり、ドリンクを注文して貢いだりすることもできるが、営業分類はあくまで「カフェ」。そのため、未成年の就労・来客も可能である。

コンカフェには男性がキャストを務める店もあり、それらはメンズコンカフェ（通称・メンコン）と呼ばれる。いろいろとグレーな部分が多いコンカフェだが、最近とくに問題化しているのが、未成年の女性客に高額請求をするメンコンが急増していることだ。

メンコンで働き始めて一年になるハクト（仮名・21）が言う。

「歌舞伎町のバーは深夜0時から朝まで営業している店が多く、昼間から夜は箱が空いているんですよ。だからそこでコンカフェの営業を始める人が増えている。コンセプトなんて店員にコスプレさせればいいから、内装とのイメージがバラバラな店舗とかザラにありますよ」

ホストクラブには厳格なルールが存在するが、メンコンの営業形態は店によってグラデーションがある。

カウンターを出て、ホストクラブ同様に女性の隣に座って接客すると風営法に触れるため、椅子には座らず客の目の前にしゃがみこんで会話をする店や、「指名」すると隣に座れるといったようなオプションがあったり、使った金額に応じてポイントが貯まり店外デートなどのサービスを受けられたりする店もある。

また、キャストと客の連絡手段も店舗による。連絡を一切禁止している店舗、ツイッターのダイレクトメッセージのみ可能な店舗、ＬＩＮＥも交換していい店舗などそれぞれだ。

いずれにせよ、バイト感覚でユルく働くことができ、客との付き合い方も個人任せの店舗が多いのがメンコンの特徴だ。

「同伴とかアフターとか、未成年の客相手にホストと同じようなやり方で稼ぐキャストもいますよ。あと、客に売掛（ツケ払い）させることができるメンコンもフツーにある。怖

いですよ、中高生に借金させるのは……」（ハクト）

推しのキャストに認知してもらい、特別扱いをしてもらうには、やはり高額を使うのが手っ取り早い。その結果、10万円単位でメンコンにお金を落とす未成年客も後を絶たない。こうした店に通うためにパパ活などで稼いでいる少女も一定数いるという。

「年齢的にホストクラブに行けないから、メンコンに通う未成年の女の子はけっこういますね。未成年だと稼ぐ手段が限られてるから、パパ活で売春してる子もいる。未成年以外の客だと、やる気ないイケメンキャストをヒモにしたいと思っている風俗嬢なんかも来ます。メンコンのキャストは基本、時給とドリンクのバックしかもらえないから、カネがある客ならチヤホヤしてもらえる。何にしろ、特別扱いしてもらいたいと思えば、青天井でカネはかかる。バイト感覚で働いているようなキャストのために、未成年の子に人生壊してほしくないなとは思いますね」（ハクト）

ホストクラブと違い、店内でどの客にどのキャストがつくのか決める判断がキャスト個人にゆだねられていることも多く、キャストや客同士のトラブルも起きやすい。また、店のなかには、経営者や店長がその違法性を把握しながらも、店員や客にはそれを隠しているところもある。グレーな営業が続くメンコンを、警察が一網打尽にする日はそう遠くないかもしれない。

歌舞伎町の路上には、呼び込みをするメンズコンカフェのキャストがずらりと並ぶ

11月1日

花園神社「酉の市」で狩られる売掛未払い女

11月3日から、新宿・花園神社で計6日間にわたって「酉《とり》の市（大酉祭《おおとりまつり》）」が開催される。歌舞伎町の住人たちにとってもこの祭りは一大イベントで、キャバクラ嬢が客と同伴で出かけるだけでなく、ホストクラブでは幹部総出で熊手交換の儀式を行い、そのまま祭りでの飲酒になだれ込む。

コロナ禍で過去2年間は縮小気味だった酉の市だが、今年はかなりの盛り上がりが予想される。歌舞伎町ホスト歴6年目のダイ（仮名・27）が言う。

「酉の市ってホスト、キャバ嬢、ホス狂いが一堂に会する場なんですよ。店舗の違うホスト同士が再会を喜んだりもするし、昔のお客さんとか、前に仲良かった女の子に再び会えるチャンスでもある。言うならば、歌舞伎町住人の同窓会みたいな感じすね」

ホストにとって酉の市は、「狩りの場」でもあるという。

「売掛を払わずに飛んだ客の女を見つけることもあります。俺のLINEに『〇〇の母です、娘は事故で亡くなりました』ってメッセージを送ってきて以来、音信不通だった客がいたんですけど、ピンピンして祭りでたこ焼き食べてました（笑）。そういうヤツを捕まえて売掛を回収するのも、酉の市では見かける光景です」（ダイ）

祭りという非日常空間で飲む酒が気を大きくさせる。ホストが可愛い子をナンパし、その様子を自分の客に目撃されケンカが始まる……というのも毎年恒例だ。

一方、ホス狂いにとっても、酉の市は重要なイベントだという。

「酉の市で、担当ホストを尾行したことあります」

そう語るのは、ホス狂い歴3年になるユミカ（仮名・21）だ。

「勤務先のデリヘルには出勤していることにしてもらって、酉の市に行ったんです。担当はSNSに『男同士で酉の市来ました！』って投稿していたけど、怪しいなと思って。前からプライベートで付き合っている女がいるって噂《うわさ》も聞いてたんで……。花園神社を歩き回って探し出したら、やっぱり店で見たことない女と一緒でした（笑）。私がデリやって貢いでいるのにカネにならない女と会ってるんだな～って思ったら一気に冷めたんで、後ろ姿を写真に撮って店のサイトの掲示板にアップしてやりました」

あっけらかんと笑うユミカは、今年も酉の市に行く予定だという。

「いま指名している担当が誘ってくれたんで、一緒に行きます。今年の酉の市って6日間あるじゃないですか。だからホストも従業員と行く日、女の子と行く日、とか分けてたりするんですけど、女の子との日を勝ち取れたので優越感ですね。前の担当とバッタリ会うかもしれないと思うと、若干気まずいですけど（笑）」

トー横キッズの低年齢化も最近の歌舞伎町のトピックとなっている。どう見ても中学生か小学生としか思えない少年少女たちが路上でたむろしている姿をよく見かけるが、彼らもまた、酉の市に足を運びそうだ。

「最近、歌舞伎町に憧れを抱いている若い子はめっちゃ多いですからね。地雷系ファッションを着た、いかにもな子だけじゃなく、制服姿のマジメそうな女子高生とか、子連れの若い親が普通にいるんですよ。今年の酉の市は、例年以上にいろんな人が来そうな予感がします」（ダイ）

盛り上がりすぎて、何か事件が起きなければいいが。

新宿・花園神社の「酉の市」の様子。歌舞伎町住人も毎年多数参加する（写真・共同通信社）

11月5日

歌舞伎町「裏風俗」で働く未成年の女の子

歌舞伎町でいま、一軒の「裏風俗」が話題を呼んでいる。メインストリートの一つである新宿区役所通りに建つビルの一室。この場所に、風営法を無視して「本番行為」を提供する違法風俗があるのだ。

「裏風俗で働いているのって外国人が多いんですが、ここは日本人の若くて可愛い子がけっこういて驚きました」

そう語るのは、最近、実際にこの裏風俗に行ってきたというバー店員のサトシ（仮名・30）である。

「もともとエステサロンだったところを居抜きで風俗にしたらしいですが、正直、清潔感はなかったですね。受付で男の人がずっとタバコを吸っていて、入り口の近くには女の子の荷物らしいキャリーケースが並んでました。トイレもシャワーもボロボロだった」

金額は45分1万5000円。ビルの上層階にある店の入り口で女の子の写真が入ったアルバムを見て、気に入った子を指名する。そして男性店員に料金を支払うと、女の子が呼ばれ、シャワールームに案内された後、プレイが始まるというシステムだ。
「この価格で本番ができる裏風俗として話題になっていますが、色気は本当にない。ほぼマッサージ店みたいな感じで、パーティションとカーテンしか仕切りがないから、隣の客の喘《あえ》ぎ声も普通に聞こえました」（サトシ）
プレイルームの枕元には、コンドームが積まれていたという。
「ゴムありと聞いていたんですが、プレイ中に女の子から『1万円で生でどう？』って言われました。聞いたら、その子の手取りは1万5000円のうち5000円だけみたいで。〝オプション〟をしないとなかなか稼げないらしいです」（サトシ）
この裏風俗店で働く女の子のなかには、未成年も少なくないという。家出してきて住むところもなく、この店に寝泊まりしているのだ。
「女の子から話を聞いてビビりましたよ。いろんなお客さんと寝てる、ベッドとはお世辞にも言えないマットレスで寝起きしているらしいです」（サトシ）
サトシを接客した女の子は、大久保公園で「立ちんぼ」をしていたところ、店のオーナーに「ウチで働かないか」と声をかけられたらしい。
「こういう裏風俗店ってどこから女の子を集めてくるんだろうと疑問だったんですが、変に納得してしまいました。マトモな風俗店は未成年を雇ってくれないですからね。ホテル代も払えない家出少女たちは、給料が安くてもここで働くしかないのかもしれません」（サトシ）

稼いだカネでホストクラブ通いをしている女の子もいるが、そもそもそこまで稼ぎがいいわけではないので派手に遊んでいる子は少ないという。

「とはいえ、僕以外にもけっこうお客さんは来ていましたね。入る前に3人組が、店を出るときには4人組が来ていました。僕はSNSの情報を見て行ったんですが、口コミでもこの裏風俗のことはわりと広まってますね。それだけ、日本人の若い女の子と本番ができる裏風俗っていうのは珍しいんだと思います」（サトシ）

筆者が歌舞伎町で裏風俗について聞き込みを行うと、「全員がプレイルームに住んでいる店がある」「路上に女の子が2時間だけ並んでいて、そこから選ぶ『路上置屋』がある」などといった情報が次から次へと出てきた。仮にこの店舗が摘発されても、すぐに似たような店が現れるのだろう。

11月12日

券売機でシャンパンを販売するラーメン店

　歌舞伎町の飲み物と言えば？　そう聞かれたら、この街の人はたいてい「シャンパン！」と答えるだろう。それくらい、歌舞伎町住人は何かというとシャンパンをおろしがちである。ホストのマサヤ（仮名・25）が言う。

「歌舞伎町の人間って、『応援しています！』って気持ちは言葉じゃなくて行動で示せっていう教育が刷り込まれてるんですよ。祝い事にはシャンパン、ってのが鉄則。お店のオープン記念とか、オーナーの誕生日とか、そういうときには必ずおろします。シャンパンは、ヴーヴ・クリコなどの〝高級〟なもので2万〜3万円くらい。コロナで大変なときは、普段世話になっている飲食店を回って、お互い頑張ろうぜって気持ちを込めてシャンパンを開けていました」

　ホストクラブやキャバクラのキャストの御用達となっている飲食店は、こうした持ちつ持たれつの関係が深い。なかには、店の「オリジナルシャンパン」（通称オリシャン）を作成し、常連におろしてもらって売り上げをたてる飲食店まであるという。

だが、このくらいはまだ序の口。さらに驚くべきことに、歌舞伎町にはシャンパンが置いてあるラーメン屋まである。

「私、ラーメン屋でホストクラブしてもらっていました」

そう語るのは、未成年のときから歌舞伎町に出入りしているホス狂いのアンナ（仮名・24）である。

「ホストクラブの代表をやりながら、ラーメン屋を経営しているホストがいたんです。その人と知り合ったときはまだ未成年だったので、ホストクラブには入店できなかった。でも、ラーメン屋なら行けるっていうことで、ラーメンを食べながらいろいろ話を聞いてもらっていたんです。そしたら、『俺がやってることほぼホストやんか！　お前ここでシャンパンおろせ！』って言われて（笑）。ラーメン屋で何回かシャンパンを入れていました。接客への対価って感じでしたね。20歳になって、ホストクラブでお酒が飲めるようになってからは店で入れてましたけど」

歌舞伎町には、元ホストや現役ホストが副業で始めたラーメン屋が複数存在する。そういった店は、彼らの同僚ホストが勤務終わりや客とのアフターで利用するケースが多いため、ほぼ例外なくシャンパンが置かれている。

ときには、ラーメン屋を経営するオーナー自らが接客することもある。そうなると、シャンパンを注文させて売り上げを出したくなるのが、ホストの性《さが》というものなのかもしれない。

一方で、まったくそうしたルーツがないにもかかわらず、シャンパンを置いているラーメン屋もある。

都内を中心に複数店舗を展開するラーメンチェーン店「K」。その歌舞伎町店では、「シャンパン」が1万円、「スタッフドリンク」が500円で販売されている。どちらも、券売機で購入するシステムである。なお、高田馬場店などほかの店舗にはシャンパンの食券は存在せず、歌舞伎町の「地域文化」を取り込んでいると言えるだろう。

ただ、筆者の知人が、この「K」でノリでシャンパンをおろした際、店員は驚いていたという。ちなみに、スタッフドリンクはけっこうな頻度で注文されるそうだ。

「応援」でお金を使うカルチャーによって、歌舞伎町の飲食店は盛り上がっているのである。

5年越し待望の
リニューアルオープン！
歌舞伎町、こんにちは
2022年度
3億5千万

11月18日

絶賛摘発中の「客引き」をする大学生

歌舞伎町を訪れたことがある人ならば、一度は「客引き」に声をかけられたことがあるのではないだろうか。

「客引きは違法です。ボッタクリにあいます。ついていかないで！」

街中に設置されたスピーカーからはそういったアナウンスが響き渡っているが、彼らはそこかしこにおり、堂々と声をかけてくる。警察も盛んにパトロールをしているというのに、なぜ歌舞伎町からは客引きがいなくならないのだろうか。それは、彼らに一定の需要があるからである。

「歌舞伎町は確かにボッタクリの店が多い。でも逆に、そういう場所だからこそ客引きが必要なんです。客からしたらどの店が安全かわからないので、客引きと交渉する。それで騙されることもあるんですが、客引きを見極めてきちんと交渉すれば安く飲めたりするんですよ」（歌舞伎町の飲食店経営者）

歌舞伎町の新宿駅側には飲食店の客引きが多く、奥へ進むにつれて風俗やキャバクラの客引きが増えてくる。TOHOシネマズ新宿のビルの横には、その道何十年のベテラン客引きのおばあさんがいたりする。

そうした客引きのなかでも、歌舞伎町ならではの特殊な存在なのがホストクラブの「フリーの客引き」である。彼らのことを歌舞伎町では「外販《がいはん》」と呼ぶ。ホストクラブのキャストが自ら路上に立って女性を客引きすることはない。歌舞伎町では、外販が女性をホストクラブに連れてくるのだ。

「外販歴半年くらいです。友達に誘われて、バイトでやってます」

そう語るコウキ（仮名）は、都内の大学に通う22歳だ。

「大学の男友達でも、ホストとかスカウトとか外販とか、そういう夜のバイトをしてる奴はちらほらいます。外販は客と深い人間関係を作る必要がほとんどないので、精神的には楽ですね。一人のお客さんをホストクラブに紹介するだけで、5000円くらいもらえる。顔なじみになって毎回僕を使ってくれるよう女の子ができれば、安定して収入を得られます」

外販は他の客引きと違い、客に現金を渡すこともある。

「お客さんが払う金額の半額まで渡していい、というルールがあるんです。初回が

3000円だったら1500円。このお金は自腹なんですけど、後でそれ以上の紹介料をホストクラブからもらえるので成立してるんです。僕ら外販をうまく利用しながら、ホストクラブで安く遊ぶ女の子は多いですね。指名をせずに初回だけ遊ぶ子を『初回荒らし』って言うんです。僕らはそういう子がたくさん使ってくれると儲かるけど、ホストクラブは赤字になっちゃう。だから『明らかな初回荒らしは店側に入れないでくれ』って釘《くぎ》を刺されることもあります」（コウキ）

さらに、ホストクラブ側からこんな要求をされることもあるという。

「電話で『いまから1名行けますか？』って店にきいたときに、身分証の確認だけじゃなくて見た目の特徴もきかれることがあります。メンタルヤバそうじゃないかとか、お金使いそうかーとかね。めちゃくちゃ態度がデカい子を案内したら『もっといい女の子入れろよ』って電話で怒られたこともある（笑）」（コウキ）

歌舞伎町では当たり前の存在である客引きたち。そんな歌舞伎町では、特殊な裏風俗へ案内してくれる幻の客引きがいる……などの都市伝説もある。違法ではあるが、需要がある限り歌舞伎町の路上から客引きは消えないだろう。路上にたむろする客引きこそが、歌舞伎町独得の雰囲気や風景を形作っているとも言えるかもしれない。

割引き情報満載
24時間テレフォンサービス
03-5273-0444
歌舞伎町最多情報数
割引き
情報満載
無料
情報館
インターネット無料検索
24時間
テレフォンサービス
03-5273-0444
路上キャッチ
客引き注意
無料情報館

11月20日

「立ちんぼ」を体験する筆者に声をかけてきた男性

歌舞伎町の大久保公園付近では「立ちんぼ」が急増している。その様子は、公園で援交することをモジって「交縁」と呼ばれ、最近は歌舞伎町を訪れる人の観光スポットのようにもなっている。

通りを眺めていると、立ちんぼの女の子よりも、彼女たちを物色している男性の多さに目が行く。いったい、どんな人が買いに来ているのか。実態を調査するべく、筆者も公園付近に立ってみた。

「お姉さん、売りやってる子?」

私がスウェットパンツにゆるいTシャツ、キャップという出で立ちで公園の近くにしゃがんでいると、頭上から声が降ってきた。話しかけてきたのは、少し気弱そうな普通の中年男性だ。

筆者「なんかここなら稼げるって聞いたから。とりあえずヒマだし座ってる」

男性「じゃあ（売りを）やってはないの？」
筆者「そういうのはしたことない。お兄さんは、どうしてここに来たの？」
男性「知らないの？　最近ＳＮＳとかアベマの番組で取り上げられて、ここはけっこう有名になってきているんだよ」
そのアベマの番組に出たことあるんだけど……という言葉は飲み込み、会話を続ける。最近はこうした新規参入者が多く、買わずにウロウロするだけの「見る専」もいるらしい。
「で、いくら？」
男性から金額をきかれる。「女性側

交縁する若い女性が急増。声をかける男性も大勢見られる（写真・小川内孝行）

から金額を提示すると、相手が私服警官の場合は売春勧誘で逮捕される」と聞いたことがあったので、ごまかして返答をしてみた。

筆者「お兄さんは、いくらくらいで考えてるの？」

男性「1・5（1万5000円）かな」

デリバリーヘルスの相場がホテル代別で2万円前後ということを考えると、立ちんぼは本番が前提にもかかわらずかなり安い。

「うーん、それなら嫌だな」

そう答えると少し残念そうにしていたが、食い下がるワケでもなく、男性は私のもとを離れ、また別の女性を探してウロウロし始めた。

しばらくすると、

「オウ、ねぇちゃん！　いくらだ！」

と、太ったコワモテの男性が大声で話しかけてきた。私から値段は言わずにいると、

「1・5くらいでどうだ！」

とのことだった。やはり相場はかなり安くなっているようだ。

交縁で女性を買ったことがあるという別の男性に話を聞くと、こう語っていた。

「若くて可愛い子に『ホテル代別で2万円』と言ったら、即決でした。聞いたら、最近は

2万円すら出せない客ばかりらしいですよ」

立ちんぼが急増している背景には、コロナ禍による不景気も少なからず影響していると言われているが、買う側の男性たちもまた経済的には苦しいようだ。

歌舞伎町に昔からある「出会い喫茶」でも、相場は下がっているという。少し前は本番アリで3万円くらいが常識だったが、いまではやはり1万5000～2万円くらいとのことだ。

こうした安値で売買春が行われている世界がある一方で、「高級交際クラブ」と呼ばれる場所では、一時間10万円というように相場が高騰している。女性の容姿によって、というよりは、単純にシステムの違いのようにも感じる。ちなみに、立ちんぼ体当たり取材でLINE交換をした男性たちからは、その後も鬼のように「ヤりたい」と連絡が来て辟易《へきえき》した。

社会の
ダークサイドを描く二人の
特別対談

真鍋昌平
Manabe Shohei

×

佐々木チワワ
Sasaki Chiwawa

真鍋氏の仕事場での一枚（写真・小松寛之）

弁護士を主人公にしたワケ

チワワ　真鍋《まなべ》先生、お久しぶりです！

真　鍋　知り合ってもう1年くらいですかね。僕がちょうど『九条《くじょう》の大罪』でトー横の取材をしている時期に、歌舞伎町に面白い子がいると聞いて、共通の知人だったストリッパーの子に紹介してもらったのがチワワさんでした。

チワワ　それから、飲み会にもちょくちょく呼んでいただいて嬉《うれ》しいです。私が対談なんてちょっと畏れ多い気もしますが、今日は先生のお話を聞けるのが楽しみです。

——二人の対談は、そんな和やかな挨拶から始まった。

代表作『闇金ウシジマくん』(以下、『ウシジマくん』)に続き、厄介な案件ばかりを引き受ける異色の弁護士を描く『九条の大罪』が大ヒット中の漫画家・真鍋昌平《しょうへい》氏(51)。歌舞伎町を中心に数多くの若者たちを取材するライター・佐々木チワワ氏(22)。ヤクザや犯罪者から、トー横キッズのような少年少女まで……。いわゆる「一般社会」からはみ出した人々の実情をリアルに描き出す彼らは、いま何に興味を持ち、どんなアプローチで作品を書いているのか。「実は飲み仲間」という二人が、裏社会取材ならではのエピソードを交え、たっぷりと語り合った。

チワワ 『九条の大罪』には、トー横キッズを題材とした少女が登場しています。以前から、トー横には興味をお持ちだったんですか。

真鍋 歌舞伎町を歩いていたときに、大きな荷物を引きずっている女の子を見て、「この子たちは何なんだろう」と興味を惹かれたんです。「ぴえん女子」という存在だと知り、面白いなと。『九条の大罪』で女の子の話を描きたいと思っていたのもあり、題材に選びました。

チワワ トー横で取材するとき、先生みたいな〝オヂ（おじさん）〟は警戒されたんじゃないですか？（笑）

真鍋 本当にその通りで、歌舞伎町にいる女の子に声をかけてもみんなに嫌がられたんだよね（笑）。やり方を考えて、男女でいる人を探して男の子のほうに声をかけたらうまくいった。

チワワ 非行少女や不良少年は昔からいますが、現在との違いなどを感じたりはしますか？

真鍋 昔は外に向けて暴力を発信していたと思うけど、いまは内側に向いている人が多い気がしますね。ただ、日本の経済が傾いてきているので、内向きな彼らが犯罪に走り、窃盗や詐欺が増えていくんじゃないかと心配しています。

チワワ　トー横ではすでに、万引きが当たり前になっているそうです。それに、歌舞伎町のパパ活女子の間では、詐欺も横行している。おじさんから大金を引っ張る方法をマニュアルとして販売していて、同情を誘うための小道具に使う借金の証明書などの書類を偽造する手引が書かれているんですよ。彼女たちはキモいおじさんには何をしてもいいと思っているみたいで、犯罪という意識がないんです。世の中の不景気がこういう事態を招いているのかなと思います。

真　鍋　トー横はかなり注目されていますし、今後はいろいろと浮き彫りになっていくと思いますよ。

チワワ　『九条の大罪』では、ヤクザや半グレの依頼を受ける弁護士が主人公です。弁護士を題材にしようと思ったのはなぜなんでしょうか。

真　鍋　『ウシジマくん』を連載しているときに、犯罪者の人たちから「動きの良い弁護士がいる」って話を聞いて面白いなと思ったんです。それに、『ウシジマくん』のように犯罪者側の視点で描くと、読んでくれない人も多かった。「見たくない」って言われてしまって。でも、弁護士という視点から描けば、そういう人も読ん

チワワ でくれるんじゃないかと考えたんです。リアルすぎる描写が数々出てきますが、漫画のネタはどのように探しているんでしょうか。

真鍋 街を歩いていたり、知り合いとお酒を飲んでいるときだったり、何か心に引っかかるものを感じたら、すぐに取材して掘っていく形ですね。何か事件が起きたときに、背景を調べて興味を持つこともあります。

ヤクザを激怒させた

チワワ 先生は取材もご自分でしていますが、裏社会の人たちから話を聞くとなると、やはりトラブルも多いんじゃないですか。

真鍋 『ウシジマくん』の連載を始めたばかりの頃は酷《ひど》かったね。ヤクザや半グレを取材していると、みんな上から来るんですよ。キャバクラに呼び出されて僕だけ泥酔させられ、起きたら誰もいなかった。で、伝票だけ置いてあって、20万円を支払わされたこともありました。当時は、印税がすべて取材のための飲み代に消えていた(笑)。

チワワ　それはかなりハードですね……。

真鍋　地方に取材に行ったときに、地元のヤクザを怒らせてしまったこともありました。こちらにそんな意図はまったくなかったんですが、取材過程のなかで、あるヤクザが「メンツを潰された」と激怒したんです。刺身包丁で人を殺したことがあると言われていて、恐ろしいアダ名までついている方でした。

チワワ　恐すぎる。それはどうやって収まったんですか？

真鍋　謝罪文を何通もお送りして何とかお会いする機会を作ってもらい、夏の盛りにスーツを着て行って直接謝罪をしました。話をしたら事情をわかってくれましたが、揉めたままにしていれば、もちろん漫画には描けなかった。僕の経験のなかでも、トップクラスにヤバいエピソードです。チワワさんは、歌舞伎町で取材をするなかで何かトラブルが起きたことはありますか？

チワワ　実は、私自身がトラブルに巻き込まれたという経験はあんまりないんです。ただ、取材のなかでホントに多種多様な人に触れてきたな、という感覚はありますね。たとえば、コロナ禍で大学の講義がリモートになったからと、ソープランドの待機中に授業を受けている子とか。発言しなきゃいけないタイミングで部屋の電話が鳴って焦った、という話は面白かったですね。

真鍋　たくましい（笑）。

チワワ　中年男性にも興味があって、出会い喫茶に潜入取材をしに行ったこともあります。私のことを「2万円で買いたい」と言ってきたおじさんがいて、「なんで2万円なんですか？」とか根掘り葉掘り聞いたりしました。その人、私のことをメチャクチャにディスってくるのに、「買いたい」と言ってきたので、何を考えているのか興味を惹かれてしまって（笑）。いつか中年男性が抱えているものについては書きたいと思っています。真鍋先生は、今後描いていきたいと思っているテーマや題材はありますか？

真鍋　いまは「富裕層」に興味がありますね。ビルを40棟持っている人に話を聞いたんですが、見た目はぜんぜんフツーのおじさんなんですよ。ブランドもので着飾っているワケではないし、食事も割り勘です。

チワワ　いわゆる成金的な、お金持ちに対する一般的なイメージとはぜんぜん違うんですね。

真鍋　そう。ただ一方で、女の子を田舎の廃校に集めて裸で運動会をさせたりしている人もいる。面白いですよ。

チワワ　漫画で読ませていただくのが楽しみです。今後の題材でいうと、私は「海外出稼ぎ」に興味がありますね。日本が不景気になってきたからか、女の子が海外まで出稼ぎに行くというのが当たり前になってきているんです。英語ができる子だと、2ヵ月かけてアメリカの風俗店をまわって稼ぎまくって帰ってくるツワモノもいます。

真鍋 安倍晋三《しんぞう》元首相の銃撃事件があったこともあり、僕は40~50代が抱えているものを描きたいという気持ちも出てきています。ただ、自分の限界を超えている題材はやはり描ききれない。宗教など、自分では理解しきれないものは難しいですね。

――どこまでもリアルを追い求める二人の裏社会取材は、これからも続いていく。

第3章

冬、100錠の薬をイッキ食べするトー横キッズ

気づけばあと少しで23歳。相変わらず大学生。指名していたホストは皆売れっ子になって看板でセラミックの歯を輝かせているか、連絡先が消えていた。「靴なめるから200万つかって」なんて言っていた彼はいまや2億円プレイヤー。私もキミも、この街で出会ったときはお互いに何者かになりたい若者だったのにね。あなたの目にいま見えているものはなんですか。

11月23日

「一日ホスト」になる人気ユーチューバー

芸能人やユーチューバーによる「一日限定ホスト」が増えている。そんななか、登録者数181万人を誇る人気ユーチューバー・ラファエルが歌舞伎町に登場。「日本一の顔出しNGホスト」として有名な渋谷凰《こう》が働く店舗で、「顔出しNGコラボ」を行った。「仮面にスーツで接客します」と宣言していたラファエル。はたしてシャンパンは仮面を外して飲むのか、ストローで吸うのか……。気になった筆者はイベント当日に店舗に足を運んだが、そこで見たのは普段のホストクラブとは異なる「非日常」な空間だった。

通常、ホストクラブを訪れる客は一人か二人で行くことが多く、団体客はほとんど見受けられない。だが、ラファエルが一日ホストを務めるとあって、席には大勢の男女が入り乱れていた。テーブルの上には、この日のために用意されたオリジナルの「ラファエルシャンパン」が何本もおろされ、バブリーな雰囲気を醸し出していた。

店舗のキャストが30人弱しかいないのに対し、ラファエル目当ての団体客は続々と増え、20人以上に。さらに普段から来る常連も来店していたため、あまりの盛況ぶりに店内は少し混乱していた。

しばらくして、筆者はトイレに行きたい……と手を挙げた。ホストクラブでは、客が勝手にトイレに行くことができないという暗黙のルールがある。トイレに行く道すがら、自分の指名しているホストの被り客の様子を見に行ったり、トイレに行くふりをして他の客に迷惑をかけたりするなどのリスクがあるため、基本的に席を移動する際は必ずキャストのエスコートが必要なのだ。なので、自分の席にキャストがいない場合、料理の注文よろしく手を挙げて呼ばないといけない。やっとの思いでキャストを呼んで「トイレに行きたい」と伝えたが、その盛況ぶりからトイレは激混み。

「下の階のホストクラブのトイレを借りに行きましょう」

と、キャストに案内され、別のホストクラブでトイレだけ借りるという、歌舞伎町に通って7年目にして初めての体験をした。

その後もラファエルの指名客たちが続々と来店。赤ワインが足りなくなり、トイレを借りた店舗から酒まで借りたという。こうした酒を貸し合う文化は歌舞伎町に昔から存在し、グループを超えた連帯を見たように感じた。

こうして大盛況だったラファエルのイベントは、指名客30人以上、売り上げ1000万円以上というかなりの好成績で終幕した。

一方、店舗側からすると、課題も見えたイベントだったようだ。コラボ相手の渋谷はこう振り返った。

「一日限定のコラボイベントだと、どうしてもコラボ相手と従業員のかかわりが薄いので、ホストクラブが持つヘルプ力などを活《い》かした団体戦が難しいなと痛感しました。僕たちも日々ホストとして接客力を磨いて、こうしたイベントに対応できるようにしていきたい。こうしたイベントでホストクラブを知って

一日限定ホストになったラファエル(右)と、「顔出しNGホスト」の渋谷凰

くれた人が、また来たいと思えるように」

今年10月中旬には、いしだ壱成が一日ホストを行い、父の石田純一と一緒にラストソングを歌い上げるなんてこともあった。こうした有名人による一日限定ホストは今後も続いていくだろうが、そのときどのような接客を展開できるか。ホストクラブにとっても、底力を試されているのかもしれない。

12月28日

歌舞伎町でカネを使いまくる太客の正体

世間は不況でも、歌舞伎町のホストクラブでは今日も「太客」が大金を使っている。国税庁の「民間給与実態統計調査」(2021年)によると、女性の平均年収は302万円。そんななかで太客たちは、毎月、平気で数十万円以上をホストクラブに落としている。彼女たちはいったい、どんな職業に就いているのだろうか。

「ホストに通うために、ひたすらバイトを詰め込んでいます。休日はほとんどないですね」

そう語るマユミ(仮名・27)の職業は医師だ。彼女は普段の病院勤務に加え、高額なスポットアルバイトを行っているという。

「夜勤は時給が高いから、普段勤務している病院では希望して深夜帯に働いています。スポットアルバイトでは、人手不足の病院に行ったり、大規模会場でコロナのワクチンを打ったり。割の良いバイトだと、時給1万円を超えることもありますね。いまは20代で体力があるからこの働き方ができているけど、今後年を重ねたら開業医にならないと厳しいかな……」

マユミのホストクラブでの出費は平均して月40万円前後。十分な大金だ。

「好きな人に会いたい。そのモチベーションがあるから仕事も頑張れる。おかげで、今年は過去最高年収になりました。稼ぐ目的があるって大事だなって痛感しています」

太客にはマユミのような医師が多いが、なかでも羽振りがいいのは美容外科医だ。人気美容外科医のナユカ（仮名・32）が語る。

「インセンティブ制なので、個人の業績を上げれば上げるほど、給料は増えます。いかに客をつけるか、という点では、ホストとあまり変わらないかもしれないですね（笑）」

仕事漬けの日々のなかで「息抜きとしてホストクラブに通っている」と言うが、そのお金の使い方は派手である。

「やっぱり、お金を使ってこそホストクラブは楽しいですからね。毎回、会計は数十万円になります。その代わり、行く回数は少ないですね。仕事を淡々とこなしていると気づいたら勝手にお金が貯まっていく。それを使う機会があることで、自分の頑張りが認められるような気がしています」

医者しか太客になれないのか、というとそうでもない。リサコ（仮名・35）は大手企業でOLとして働きながら毎月ホストクラブに通い、多いときは月に3桁を落とす。

「激務ではあります。その上、副業もしている。ボーナスがあったときとかにドカンと使うけど、普段も50万~80万円くらいは払っています（笑）。受験勉強を頑張って大学に入って、大手に入社してからもサボらずに仕事してきましたから、それくらいのお金なら何とかなる」

こうしたバリキャリ系のホス狂いは意外に多く、コンサルやベンチャーなどさまざまな業種に太客が存在する。また、経営者や漫画家、作家なども健在だ。

それらに加え、最近ではユーチューバーやインスタグラマーといった、インフルエンサーの太客も台頭しつつある。彼女たちに共通するのは、才能がありながらそれに慢心せず、努力を続けてきたという自負があることだ。

昼職にしろ夜職にしろ、大金を稼ぐのは生半可なことではない。働くモチベーションになっていることを考えれば、ホストクラブの存在はある意味女性の社会進出に一役買っているのかもしれないが……。

思えば「低年齢化」「ＳＮＳ」「グローバル」という三つの柱で市場が拡大した２０２２年の歌舞伎町。この街のカオスは来年も続く。

pha
by ACQUA
alpha

2023年1月6日

FBIに追われる海外出稼ぎ女子

昨年一気に広まった「海外出稼ぎ」が、今年はますます加速しそうだ。この年末年始も、実家で過ごさず、海外の風俗やキャバクラでひと稼ぎして帰ってくる女性が後を絶たなかった。

「やっぱり、チップ文化があるのがデカいですね」

そう語るのは海外出稼ぎ歴3年目のモモカ（仮名・23）だ。主にアメリカをメインに海外出稼ぎを行っている。

「2週間～2ヵ月くらい海外に行ってガッツリ稼いで、日本ではゆるゆる働いています。日本のソープだと高級店でも110分のプレイ時間で4万円前後しかもらえないけど、アメリカだと8万円くらいなので単価が圧倒的に違いますね。それに加えて、向こうはチップもある。高額のチップを引けると、一プレイで10万円以上稼げることもある。多いときは一日40万円とか余裕でいくので、日本の風俗じゃほとんどありえない額を叩き出せるのが魅力ですね」

それだけ稼げるならと海を渡る女性は増えているが、徐々に雲行きも怪しくなってきている。需要の多いアメリカで、取り締まりが厳しくなっているというのだ。出稼ぎ女子と積極的に情報交換を行っている、ある女性インフルエンサーが明かす。

「大都市の空港では、若い日本人女性というだけで徹底的にチェックされるそうです。実際に入国を拒否された、という子も何人かいる。FBIも動き出しているとか、イミグレ（出入国審査カウンター）に『日本の売春婦を許すな！』と書かれた横断幕が掲げられているのを見た、といった噂まで出ています」

このインフルエンサー自身も、年末年始に観光目的でハワイを訪れたところ、入国を拒否されたという。

「話も聞いてもらえず、売春目的で来たと決めつけられたんです。スマホもすべてチェックされて、画像フォルダに水着や下着の写真を保存していたことを厳しく追及されました。女一人での旅行がかなり難しくなっていることを身をもって感じました」

アメリカが目を光らせているのは、女性だけではない。海外出稼ぎを斡旋しているエージェントの撲滅にも動き出しているという。

「働く店を自分で探して海外に行く子もいますが、エージェントに依頼・斡旋されて出稼ぎに行く子も少なくありません。実際、ＳＮＳにはいま、エージェントを名乗るアカウントがあふれていますからね。渡航歴に怪しい点がある場合は、男性でもエージェントではないかと疑われて厳しく追及されるそうです」

海外出稼ぎを行う猛者のなかには、怪しまれそうな写真はスマホからすべて削除、アメリカの大学のパンフレットを取り寄せて「来年以降の進学先の視察」という名目で入国する者もいるという。

だが、そんな取り締まりの厳しいアメリカは避け、別の国に活路を見出そうという動きもある。前出のモモカが語る。

「アメリカはリスクが高くなってきたので、次はシンガポールやタイに行こうかなと思っています。ツイッターを見ていると、そういった国の案件も頻繁に流れてくるので。でも、他の国でも私服警官による逮捕やトラブルの噂は聞くので、しばらくは様子見かなぁ」

ＳＮＳには、海外出稼ぎの派手な成果を報告する投稿がたびたび上がっている。だが、目立てば規制されるのが当たり前。軽いノリで海外出稼ぎに行こうとするのは、控えたほうがよさそうだ。

明けましておめでとうございます（著者近影、撮影・等々力純生）

1月20日

交縁界隈を徘徊する迷惑系ユーチューバー

歌舞伎町・大久保公園周辺で行われている立ちんぼ、路上売春(通称・交縁)が、今年に入り大きく変わってきた。

コロナ禍による不景気の影響からか、若い女性が多く立つようになったことが盛んに報じられるようになり、直近の一年ほどで知名度が急上昇。最近は、迷惑系ユーチューバーが「行き場のない少女を救う」として、買春をしようとする男性に声かけ運動なども行っている。一方で、有名立ちんぼ女子はユーチューバーの取材を多く受けており、そこで取材費を荒稼ぎしているケースもある。

もはや交縁は「数字の取れるコンテンツ」となり、買春目的の男性、売春目的の女性が来なくなっているという。

「前は夜9時過ぎくらいになると、売買春目的の男女が大勢いたんですけどね。警察による摘発の影響もありますが、それより迷惑系ユーチューバーやティックトッカーによる影響のほうが大きいです。大声で『売春は犯罪だ！』と叫んで、女の子や客を追い回したりしていますから……。動画とかに映り込むのも嫌だし。場所を移した人は少なくないと思います」（交縁女子）

売買春を通報して騒動になったり、〝怖い人〟が出てきて揉め事になったりするケースも頻発しているようだ。

こうした理由で、大久保公園周辺からは人が減った。とはいえ、路上売春する女性がいなくなったわけではない。居づらくなれば、分散したり別の場所に集まったりするのが歌舞伎町の常である。

なぜ、若い女子が路上売春をするのか。要は「コスパ」なのである。立ちんぼ女子のミヨコ（仮名・20）が言う。

「正直、路上で客をとるのが危ないっていう感覚があんまりないんですよね。風俗も一緒じゃね？って思う。デリヘルとかでもヤバい客はヤバいし。風俗店に入っても、いまは店がお客さんとってくるんじゃなくて、自分でSNSで集客したり写メ日記更新したりしなきゃいけなくて、めんどくさい。そんだけめんどくさいことやって、一時間1万円しかもらえないデリヘルで働くより、自分で客とって一時間2万円稼げるほうがいいかなって思っちゃいます」

そんなミヨコは、立ちんぼと並行してアプリでパパ活も行っているという。

「パパ活って言ってもほぼ売春です。割り切って、『大人』（セックス）もしてる。アプリでパパ活の予定組んで、空いた時間に立ちんぼして、とか。そうやって予定埋めて鬼回転してる。ウチらの界隈で、客をぶん回すことを『鬼回転』って言うんですけど。そしたら一日10万円とかいくんで」

そうして稼いだカネを彼女たちは何に使うのか。よく聞くのはやはり、ホストクラブだ。

「風俗だと客が来ない時間も待機所にいないといけないけど、個人でやってると時間は自由に組める。たとえば、ホストクラブで遊んでて、アプリで客が捕まったら店を抜けるとかもしますよ。ホスクラの合間にオジサンに会ってセックスする（笑）。そしたら、次の日もホスト行けるお金が簡単に手に入るので」（ミヨコ）

ホストクラブ通いのために身体を売る女性は少なくない。1月23日には、元ホストが女性をソープで売春させた疑いで逮捕された。店への借金回収のために風俗で働かされるのは、歌舞伎町では極めてよくあるケースだ。自分が支払ったカネがホストに流れると知ったら、オジサンたちの買春する意欲も減退しそうなものだが。

1月25日

都内100店以上！ 激戦区を生き抜く女性用風俗セラピスト

昨年末から、篠田《しのだ》麻里子の不倫騒動をきっかけに「女風」がにわかに話題だ。

2018年頃からジワジワと知名度が上昇、昨年4月には女風をテーマとした新書も出版され、女風への理解と需要が拡大したように感じる。大手風俗情報サイトを見ると、東京都の男性向け風俗店の掲載数は1069店、一方の女性向け風俗店は136店だった。男性向けと比べれば圧倒的に少ないが、100店舗を超えているとは驚きである。

実はいま、女風は供給過多状態なのだという。女風セラピスト歴2年のケント（仮名・24）が言う。

「女風はキャストが飽和状態です。男性向けの風俗と違って店のランクや価格帯が分けられていないので、奪い合いも加速しています」

男性向け風俗店は価格帯によって「激安店」「大衆店」「高級店」などに分けられ、高い店ほど女性のレベルが高いとされる。一方で女風はほとんどが60分1万円前後であり、

「高いお金を払えば質の高いセラピストが来る」という保証が男性向け風俗店よりも少ない。

ケントが続ける。

「価格帯で差別化されていないので、お客さんに来てもらうにはこちらからのアプローチが重要になる。セラピストのルックスをアピールするだけではなく、会ってみたいと思わせるために写メ日記を更新しまくったり……。仕事への熱意から休日の過ごし方まで、なんでもネタにして書いています」

顧客獲得のため、女風で働くセラピストたちが「ホスト化」するケースも増えている。女風を愛用するハルカ（仮名・32）が語る。

「客に指名&リピートしてもらうために、セラピストがホストのようなアプローチをしてくることは多いですね。プライベートの連絡先を交換するなんて可愛いもので、指名を続けていたら『好きになっちゃったからお金はいらない』って言われたこともあります。ただ、何回かタダでしてもらった後、『貸し切りで予約入れてほしい』と頼まれましたけどね（笑）。ロングコースだとトータルの料金が安くなっちゃうらしいので、60分×8枠を買ってあげました」

こうした営業によってセラピストにハマり、彼らに会う費用を捻出するために自らも男性向け風俗で働き出す、という客までいるという。

「客に『特別な関係』だと思わせるために、自宅の合鍵を渡すセラピストまでいるって噂です。正直、そこまでやるならホストやればいいのにって思いますね（笑）」（ハルカ）

このようにサービスの過激化が一部で目立つ女風だが、それだけで生活できるほど売れているセラピストはほんの一握り。ほとんどのセラピストは、サラリーマンや学生、夢を追うバンドマンなどが副業として働いているのが実状だ。そのあたりも、専業でかなりの額を稼ぎ出す女性が多い男性向け風俗とは違う点と言えるだろう。

女風産業は現状、「男女共に安心できる業界」とはなかなか言いがたい。女性客側からの男性セラピストに対する本番行為の強要もあれば、その逆で、男性セラピストによるレイプまがいの事件も起きている。さらには、セラピスト経験者が「女性を性奴隷にして貢がせる方法」といった情報商材を売りさばいているケースまである。

安心安全に遊べる、と言えるようになるのはまだまだ難しそうである。

2月4日

少女に大金を貢がせ、淫行も……悪質「メンコン」店員

警視庁生活安全部少年育成課は1月31日、東京都青少年健全育成条例違反容疑で男二人を逮捕したと発表した。未成年の女性にわいせつ行為をした疑いで逮捕されたのは、メンズ地下アイドル（通称・メン地下）として活動をしていた、田辺稜弥《りょうや》（25）と本田孝一朗（22）の両容疑者だ。

本田容疑者はメン地下をしながら歌舞伎町のメンズコンセプトカフェ（通称・メンコン）で働いており、自分の店のＶＩＰルームで高校3年生の少女にわいせつ行為をしたという。

当該のメンコンでは、多額の売り上げを出すとアイドルとしてデビューできるというシステムが存在し、客は推しのキャストをアイドルにすべく大金をつぎ込んでいた。報道によると、１０００円の「チェキ」を一枚購入すると1ポイントがもらえ、１０００ポイント貯めると映画やドライブなどの「店外デート」に行けるといったサービスもあったよう

だ。

メンコンでは、未成年の少女に好意を抱かせて高額なカネを貢がせる問題が頻発。今回の事件のように、性的行為を要求するケースも出てきている。

歌舞伎町のメンコンで働くケイ（仮名・24）が言う。

「女の子に色恋営業してお金を使わせる店は多いし、特別扱いされたくて青天井でお金を使っちゃう子もいる。それが行き過ぎれば、今回みたいな事件になる。一本10万円くらいする高級ボトルを置いている店は多いですよ」

メンコンとホストクラブを比較する報道も多いが、両者の最大の違いは「メンコンには従業員にも客にも未成年がいる」という点だろう。メンコンの客には高校生や中学生も少なくなく、悪質な店やキャストはそれを知りながら高額な酒などを注文させるのである。

さらに、前出のケイが「メッチャ悪質ですよ」と語るのが、「売掛」制度だ。売掛とはいわゆるツケ払いのこと。決められた期日までに支払えばいいので、ツケにしてから働いて払う客が絶えないという。

「担保もない未成年が簡単に借金をしちゃうので怖いですよ。当たり前だけど、未成年が稼ぐ方法なんて限られている。それがわかっているのに高額なカネを売掛させて、身体売らせてるって話も聞きます。客が売掛を払えなかったときはキャストが店に支払わないと

いけないので、キャストから女の子への追い込みはエグいっすよ」（ケイ）

一方で、バイト感覚でユルく働くことができ、客との付き合い方も個人任せの店舗が多いのもメンコンの特徴だ。週2回、土日だけメンコンで働いているアサヤ（仮名・25）は、平日は普通の会社員として働いている。

「メンコンに出勤するときはウィッグをかぶってメイクをしています。ほぼコスプレ感覚ですね。そんな僕をカッコいいって応援してくれる子がいるのは嬉しいです。僕はユルく働いているので時給制ですが、完全歩合制でガツガツ働いている人もいますよ。メンコンでは、客が使ったお金の約半分がキャストに入ってくる。だから過激な営業が減らないんでしょうね」

もちろん、18歳未満のキャストを雇わない店舗や、しっかりとしたコンセプトを設けている健全なメンコンも存在する。しかし、過激な営業を繰り返している店舗があるのも事実である。

「好きなものにお金を使う」という推し活が一般的になってきた昨今、それが行き過ぎたがゆえに事件化するケースも増えてきている。過激な推し活に対する規制は進むのだろうか。

2月11日

交縁が衰退気味で「出会い喫茶」に向かう立ちんぼ女子

警察の取り締まりの強化や迷惑系ユーチューバーの出現によって、歌舞伎町・大久保公園周辺から、立ちんぼ女子が徐々に姿を消している。「交縁」から離れた彼女たちが、次に向かった先はどこか。その一つと見られているのが、歌舞伎町に昔から存在している「出会い喫茶」だ。

出会い喫茶とはその名の通り「出会い」を提供する店である。個室に入った女性客は、お菓子、漫画、ドリンク、Wi-Fi、ヘアアイロンなどを無料で利用して快適に過ごすことができる。男性客は入会金と入場料をそれぞれ数千円支払い、プロフィールを眺めながら女性客をマジックミラー越しに観察。気に入った相手がいれば店員に伝えて対面し、デート内容を交渉する、というのが基本的なシステムだ。

交縁に比べるとまどろっこしい気もするが、この出会い喫茶がいま、けっこうな賑わいを見せているのである。ヘビーユーザーであるテツヤ（仮名・33）が言う。

「ホストクラブの締め日（月の最終営業日）の前が狙い目ですね。可愛い子が安い値段でデートしてくれるんで。ホントに安い子だと、5000円で身体の関係になったりします。そのぶんサービスはよくなかったりしますけどね（笑）」

立ちんぼ相手ではなく、なぜわざわざ出会い喫茶に行くのか。テツヤが続ける。

「交縁はホントに無法地帯じゃないですか。女性も男性もヤバい人が多い。その点、出会い喫茶は女性側も身分証を提示しているし、ヤバい子はスタッフが出禁にしているので。入場料の数千円払って、安全に遊んでいる感覚ですね」

女性からしても、出会い喫茶は何かと利点が多いのだという。

「マジでカネないときは喫茶で鬼回転します」

そう語るのは、専門学校生のリカコ（仮名・21）だ。

「普段はデリやってるんですけど、ヒマな日ってあるじゃないですか。そんなときに喫茶に行って稼ぐ。面接とか面倒なこともないし、すぐに男性と交渉できるので、手っ取り早いんですよ」

出会い喫茶のなかには、変わったシステムの店もある。「逆ナン喫茶」と呼ばれる店舗だ。ここでは、女性がマジックミラー越しに男性を観察し、デートしたい男性を選ぶ。女性からすると事前に相手を選べるのが利点。一方の男性側は「逆ナン」というコンセプトが

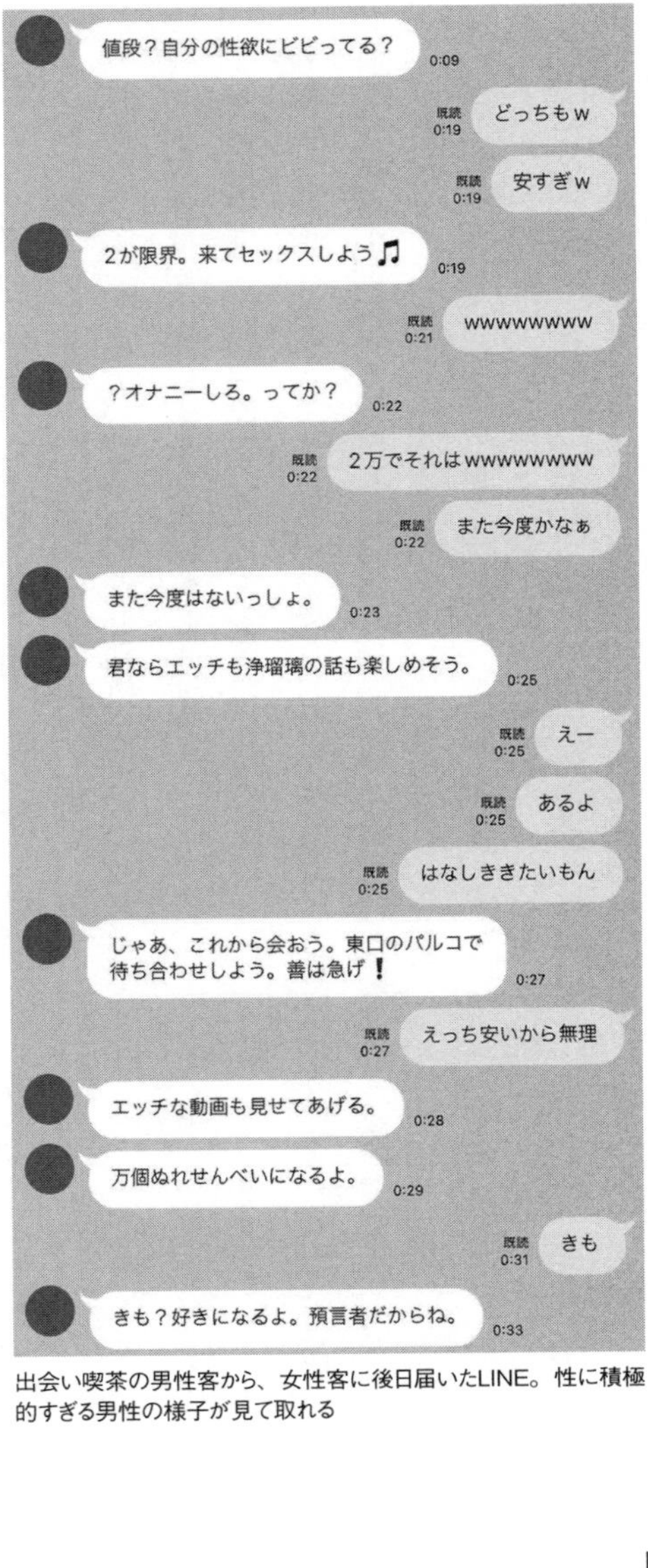
値段？自分の性欲にビビってる？
0:09
既読
0:19
どっちもw
既読
0:19
安すぎw
2が限界。来てセックスしよう♫
0:19
既読
0:21
wwwwwwww
？オナニーしろ。ってか？
0:22
既読
0:22
2万でそれはwwwwwwww
既読
0:22
また今度かなぁ
また今度はないっしょ。
0:23
君ならエッチも浄瑠璃の話も楽しめそう。
0:25
既読
0:25
えー
既読
0:25
あるよ
既読
0:25
はなしききたいもん
じゃあ、これから会おう。東口のパルコで
待ち合わせしよう。善は急げ❗
0:27
既読
0:27
えっち安いから無理
エッチな動画も見せてあげる。
0:28
万個ぬれせんべいになるよ。
0:29
既読
0:31
きも
きも？好きになるよ。預言者だからね。
0:33

出会い喫茶の男性客から、女性客に後日届いたLINE。性に積極的すぎる男性の様子が見て取れる

あるからか、若い客も多い。こちらも女性は完全無料、男性は有料だ。

逆ナン喫茶をよく利用しているというタクミ（仮名・22）が言う。

「フツーの出会い喫茶よりも、ちょっと素人っぽい女の子が多いような気がしますね。エッチが好きで、そのうえお金ももらえるなんてラッキー、みたいな考え方の子がいる。だから、交縁やフッーの出会い喫茶よりも交渉は安くすむこともけっこうあります」

筆者が逆ナン喫茶で潜入取材をしたところ、1万〜1万5000円が性交渉の相場だった。交縁だと1万5000〜2万円が相場と言われているため、確かに少し割安な印象だ。

出会い喫茶は昔から歌舞伎町をはじめとした繁華街に存在し、いまも一日に数十人が訪れ盛り上がっている。需要と供給がある限り、売買春はなくならないのが現状だ。

2月18日 未成年とつるむ「トー横オジサン」

トー横界隈と言えば、少年少女のたまり場として認知されているが、出入りしている人間のなかには、実は30歳を超えたオジサンも多い。

昨年6月には、ボランティア団体「歌舞伎町卍会」の総長だったハウルこと小川雅朝容疑者（当時32）が、未成年の少女にみだらな行為をした疑いで逮捕。その後、今年2月9日には、同じく卍会の元副総長だったハセベ・フェルナンデス・マルコス容疑者（36）が、コンビニに自転車で乱入、威力業務妨害の疑いで逮捕されている。

居場所のない未成年のたまり場であるはずのトー横で、30代が相次いで逮捕されるというのはどういう事態なのだろうか。

「きっかけは、トー横キッズが『広場』に移ったことだと思う」

そう語るのは、未成年の頃から歌舞伎町に出入りしているソウタ（仮名・23）。広場とは「歌舞伎町シネシティ広場」のことで、かつては「コマ劇場前」と呼ばれた場所だ。

「トー横キッズはもともと、TOHOシネマズ新宿横の路地でたむろしていたんですが、2021年の夏頃、すぐ近くの広場に移動したんです。広場には昔からいろんな人がいたじゃないですか。だからオジサンがトー横キッズに関わるようになったというより、トー横界隈が広場に参戦したみたいな感じなんですよ」

酔っぱらった男女やホームレス、暴力団関係者など、広場にはもともと多種多様な人間が集まっていた。そこに、トー横キッズも交ざり合うようになったというわけだ。

「昼間から広場で飲み会をしているオジサンたちとキッズが一緒に飲んだり。彼らからお酒やご飯を奢ってもらうこともある。同じグループというわけではなく、同じ場にいる人たちという認識ですね」（ソウタ）

実際に広場を訪れてみると、若い男女だけで集まっているグループも確かにいるのだが、明らかに成人している男性たちのグループも見かける。そしてそうしたグループがときに一緒に飲んだり、絡んだりしているのだ。なかには、ベビーカーを押す若い女性なんかもいるから驚きである。

だが、居場所のない子供たちに大人が関わり合うようになれば、事件は必ず起きる。最近頻発している売買春事件なども、トー横キッズの広場への移動と無関係ではないだろう。2021年11月27日には、ホームレスの43歳男性がリンチされたうえ殺害される事件もあった。このとき、リンチにはトー横キッズも参加したが、主犯格として逮捕されたのは26歳の男だった。

トー横界隈出身で、現在は歌舞伎町のバーで働くレン（仮名・24）はこう話す。

「いわゆるトー横キッズは、親とか学校から逃げて一時的に広場にいますけど、何年もずっといる子はほとんどいないんですよ。たいていの子が仕事とか見つけたりして、数ヵ月か数年でトー横から卒業していく。でも、あそこにいる大人たちは、ずっとあの場所にいるわけですよね？　俺らからしたら、ずっとあそこにいる大人たちのほうがよっぽど怖いですよ。なかには、卍会の人たちみたいに『居場所のない子供を助ける』とかって言っている人もいますけど、むしろ歌舞伎町や広場に依存しているのはああいう大人のほうなんじゃないかと思ったりします」

社会に居場所がないのは、キッズに限った話ではないのかもしれない。

ゴミが散乱し、キッズ以外にも多くの大人たちが寝転ぶ。気温が上がってくる春先から歌舞伎町の「広場」はますます無法地帯と化していく

2月25日

バイト感覚で「ママ活」する男子大学生

「ダウンタウン」浜田雅功《まさとし》(59)の一件もあって「パパ活」が話題を集めているが、歌舞伎町界隈では「ママ活」がアツい。

実はいま、ママ活のハードルは非常に低くなっており、男子大学生の間ではバイト感覚で普通に行われているのだという。

「パパ活用のアプリは有名ですが、ママ活にもアプリがあるんですよ。でも、僕の周りでは専用のアプリより、一般的なマッチングアプリで出会った人をママにしている奴のほうが多いっすね」

そう語るのは、都内の有名私立大に通うユウキ(仮名・20)だ。整った顔立ちに加え、しゃべりもうまいユウキは、年上女性からのウケがいいという。

「年上の人とマッチすると、だいたい奢ってくれますね。僕は、付き合いたいわけじゃないけど、見た目もわりとキレイでたまにプレゼントもくれる人を『ママ』って呼んでます。あ、もちろん相手を直接『ママ』とは呼んでないですよ（笑）」

どうやら、パパ活とママ活では言葉の定義自体が少し違うようだ。デートや性交渉に対してきっちり対価をもらうパパ活に対し、ママ活には食事を奢ってもらったりプレゼントをもらったりするだけといった直接的な金銭を介さないケースもある。

「大学の友達と話していても、『ママ欲しい〜』とか言ってるヤツはいっぱいいます。ヒモに近い感じのニュアンスかもしれないですね。がんばってアルバイト代稼いで自分で欲しいモノを買うよりは全然効率いいんで、とくに抵抗はないです。処世術の一環ですよ」（ユウキ）

とはいえ、ガッツリ金銭を受け取る「ママ活男子」もいる。今年25歳になるフリーターのコウジ（仮名）はコロナ禍で生活に困窮し、ママ活を始めた。

「昨年の夏頃に女風で働き始めたんですが、そこで一人、太客ができたんです。年齢は倍近く離れてるかな……。お世辞にも美人とは言えないですけど、独占欲が強い人で、他のお客さんにつくだけでメチャクチャ嫉妬する。女風での収入は月20万円くらいでしたが、そのうち10万円くらいがその太客でした」

女風では売り上げの約半分を店舗側に取られるため、コウジは太客と話し合い、ママ活の関係になることになった。彼女からお金で時間を買われ、デートやホテルでの逢瀬を重ねた。

「月に20万円くらいもらっていました。でも、だんだん彼女の主張が強くなってきて……。『バイトじゃあり得ない金額払ってんだからちゃんとしろ』とか『なんでもっと付き合ってくれないの』とか。お金は惜しかったですが、あまりの束縛に耐え切れず関係を切りました」

その後はホストとして働いてみたがうまくいかず、女風で働いていたときの何人かの客に連絡をして何とかママ活で稼いでいるという。

「ママ活っていうか個人売春っていうか（笑）。デート一時間で1万円で、セックスしたらさらに2万円もらっています。イケメン大学生だったらもう少し高めに設定できるのかもですけど。ただまあ、若い女の子がパパ活するのに比べてリスクは少ないから、この値段でも別にいいかな、って感じです。普通にバイトするより割がいいですし。しばらくはこのまま生活していくつもりです」

ママ活が流行っているということは、若い男性にそれだけ需要があるということ。「○○活」は若い女性だけに限った話ではないのである。

ママ活をする女性の年齢層は幅広い。30代前半のママ活女子もいるという

3月3日

薬物過剰摂取「オーバードーズ」依存のトー横キッズ

3月25日夜から26日早朝にかけ、歌舞伎町「トー横」で警察による一斉補導が行われた。私服警官ら約100人が未成年の若者に声をかけ、30人の少年少女が補導された。

警察が警戒を強めているのは、最近、トー横キッズの間で流行している薬物の過剰摂取ODだという。トー横では路上ODが横行しており、泡を吹きながら倒れ込んだ少年少女が担架で運ばれ、その様子を周りが笑いながら動画に撮ってSNSに上げるという光景をよく見かける。

トー横に出入りしているコウタ(仮名・20)が言う。

「トー横、けっこうヤバいですよ。市販の風邪薬や精神科で処方された薬を大量に飲んでパキってる(ODをして薬がキマっている状態)ヤツが大勢いる。最初は20~30錠とかなんですが、効かなくなってくると100錠くらい一気に飲むこともあるらしいです」

ODが増えてきた理由としては、トー横界隈の〝治安〟を守ってきたボランティア団体

「歌舞伎町卍会」が消滅したことなどが報じられている。ただ、以前から一部の歌舞伎町住人の間でODは盛んに行われていただけに、トー横キッズが認知度を増すにつれ、ようやく取り沙汰されるようになったというほうが正しいかもしれない。

なぜ、彼ら彼女らはODをやってしまうのか。歌舞伎町のソープランドで働くハナ（仮名・19）があっけらかんと語る。

「出勤中に暇なときに、よくODしちゃいますね〜。ソープランドの個室って、監獄みたいな感じなんですよ。お客さんがいない間も部屋で待機するんですけど、外界から完全にシャットアウトされている。お客さんが来なくて稼げない不安とか、そもそもなんでこんなところで身体売ってるんだろうとか。暇だといろいろ考えちゃって。そういう思考を止めるために、薬を大量に飲んでフワフワした気持ちになって紛らわせてます」

ハナが飲んでいる薬は、精神科で処方されたものだという。一度に大量に飲み、それでも不安が収まらないときは待機中にリストカットをしてしまったこともある。

「パキって接客すると、頭がボーッとしてすべてがどうでもよくなる。目の前のお客さんのことをあんまり考えなくていいから楽ですね。漫画でシャブ漬けの風俗嬢がパキって接客しているのを読んで、私みたいって思いました」

彼女たちがODする場所はトー横や出勤する風俗店にとどまらない。ホストのカイト

(仮名・25)はこんな衝撃的なエピソードを明かす。

「客の女の子とちょっと口論になったら、その子がババッて大量の薬をカバンから出して、ボリボリ食べだしたんです。怖かったですよ……。ＯＤ常習者の客のなかには、指名したホストの酒に薬を混ぜてくる客もいる。酒と薬は飲み合わせ最悪なんで、記憶が完全に飛んだりする。うちの店でホストに薬を盛った女の子はすぐに出禁になりました」

トー横に出入りしている前出のコウタによると、市販薬でＯＤしているうちは「まだマシ」だという。

「トー横には、ＭＤＭＡや覚醒剤で逮捕されたヤツもいる。自分でやるだけでなく、売人になる子まで出てきている」(コウタ)

筆者の周りでもＯＤ常習者は多く、深夜に大量のＬＩＮＥと電話が来て心配していたら、翌日ケロリと「ごめん昨日パキってた」と連絡が来たりする。早急な規制が必要だろう。

4月11日

「ぼったくりバー」で働く女の正体

歌舞伎町では最近、マッチングアプリを使った「ぼったくりバー」の摘発が相次いでいる。4月上旬には、歌舞伎町最大規模のぼったくりグループのメンバー16人を逮捕。同月9日には、リーダー格だった男も逮捕された。

マッチングアプリで釣った男性客を女性従業員が「行きたかった店がある」などと誘い、一杯3000円のショットグラスを注文しまくるのがこのグループの手口だったという。客によっては、80杯も頼まされることがあったようだ。

このグループがどうだったかはわからないが、実は、ぼったくりをしている女の子には犯罪に加担している自覚がないケースも多い。

「働いているときは、ぜんぜんぼったくりバーだとは思っていなかったですねえ」

そう語るのは、現在、歌舞伎町のソープで働いているアヤコ(仮名・19)だ。トー横キッズだった彼女は、ホストクラブに通う金欲しさにぼったくりバーを手伝うようになったという。

「売掛が払えず困ってるときに、トー横で知り合った人から『うちのバーで働いたら？　報酬は売り上げの4割出すよ』って言われたんです。メッチャおいしい！って思って飛びつきました（笑）」

アヤコは歌舞伎町のクラブで声をかけてきた男や、マッチングアプリで出会った男を次々と指定された店に連れて行った。

「『飲み放題5000円』と言って誘って、店では飲み放題料金に含まれていないテキーラとかのショットを頼ませる。『負けたら一気飲み』とかのゲームもしょっちゅうやっていましたね。『売り上げの4割が報酬』だから、いっぱい頼ませようとこっちも必死ですよ。悪いことをしているという自覚はまったくなかったですね」（アヤコ）

一人の客に20万円近い金額を請求することもあったという。アヤコが続ける。

「確かに煽って飲ませたのは事実ですけど、客も断らなかったので。テキーラのショットが3000円は歌舞伎町では珍しくないし、キャバクラだって同じようなもんでしょって、思ってました。ただ、私が働いていたバーはそこまで悪質な店じゃなかったので、相手の懐《ふところ》を見て、銀行のATMで無理やりお金を下ろさせるような煽り方はしてませんでした。だから稼げないときは、時給1000円くらいにしかならない日もフツーにありましたね。今回、逮捕されたグループは客を脅したり、金額をふっかけたりしすぎたんだと思います。グレーなやり方で稼いでいる店は、歌舞伎町にたくさんありますよ」

「ぼったくり」と聞くと、男性客ばかりが被害者だと思われがちだが、歌舞伎町では女性も同じような被害にあうことがある。歌舞伎町のキャバクラで働くマユカ（仮名・23）が言う。

「ボーイズバーとかコンカフェは、危ない店も多いですね。そういうところで働いている男のコたちも、マッチングアプリで女のコを釣って店に連れてきて、高額なお酒とかを頼ませるんです。店への売掛が払えなくなって、風俗とかキャバで働き出すケースもけっこうありますよ。悪質な店だと、未成年の女のコ相手にそれをやりますからね。知り合いのコンカフェ店員は、マッチングアプリで捕まえた16歳の女のコにウリ（売春）をやらせて貢がせていました」

良心的な店からすれば、歌舞伎町におけるぼったくりの増加は迷惑でしかない。とにかく、男も女も、マッチングアプリで出会った相手に店を指定されたときは要注意である。

5月10日

〝色恋刃傷〟事件簿を語る歌舞伎町住民

5月5日に起きた、吉原の高級ソープ嬢が客の男に刺殺された事件が、歌舞伎町を震撼させている。犯人の男性は店から「予約できない」とされたことに恨みを募らせたと見られているが、〝色恋〟が犯罪に発展するケースは歌舞伎町では日常茶飯事だからだ。

「ホント、他人事《ひとごと》じゃないですよ。密室で知らない男性と一対一になって裸になるって、フツーに考えたらめちゃくちゃリスクあるよなって改めて思いました」

そう語るのは、これまでいくつかの風俗店を渡り歩き、現在は歌舞伎町のソープで働くリナ（仮名・24）だ。

「風俗では、ストーカー化する客は珍しくないんです。私も以前、いまとは違うソープで働いていたとき客に『ガチ恋』されて粘着されたことがあります。店に頼んで私を指名できないようにしても、偽名を使って何回も来て……」

身の危険を感じたリナは、その客にＬＩＮＥで「風俗を辞める」と連絡して店を移籍。

しかしその後、さらなる恐怖が待っていたという。

「移籍先の店に、突然、その客が来たんです。『毎日毎日風俗情報サイトで似ている子を探した』『どうして風俗辞めたなんてウソついたの』『付き合ってると思ってたのに』って迫ってきて……。『辞めるつもりだったけど、どうしてもお金が必要で』って言い訳をして、何度も謝ってその場はなんとか収まりました。あのとき少しでも対応を間違っていたら、冗談抜きで私も殺されていたかも。その後、セキュリティのしっかりした高級店に移籍して、ようやく客から粘着されることも減りましたね」

トラブルやリスクが付きまとうのは、風俗嬢だけではない。ホストやキャバクラでは、性的サービスがないぶん、ときに風俗以上の危険がある。歌舞伎町のホストクラブで働くマサト（仮名・27）が言う。

「ホストは自分を切り売りして、客の女のコに好きになってもらうのが仕事ですからね。客がストーカー化して自宅を特定されるなんてことは、あるあるですよ。刺されそうになったエピソードを武勇伝として語っているような人もいっぱいいる。僕も、客とのトラブルを営業トークにしてます（笑）」

マサトは3年前、地方のホストクラブで働いていた際に客の女性と刃傷沙汰になったという。

「いわゆるメンヘラで、独占欲が強いコでした。すぐに『死ぬ』って言って、自傷行為をしちゃうようなコで……。正直、僕もめんどくさくなって、そのコ以上にお金が使える太客ができたら切ろうかなと思っていたんです」

そんな矢先、事件は起きた。

「店が休みの日に家にいたら、『女といるんだろ!』とそのコから連絡が来た。無視していたら、住所を教えていないのに、家のインターフォンが鳴って。画面越しにも明らかにマトモな様子に見えなかったので居留守を使ったら、マンションの裏手に回って、僕の部屋がある2階の窓までよじ登ってきたんです。しかも、石で窓を割って入ってきて……。カッターで襲ってきて、マジで刺されるところでしたよ。なんとか通報して、警察に接近禁止命令を出してもらいました」

興味深いのは、マサトも前出のリナも、こんな恐怖体験をした後もホストクラブや風俗で働いていることだ。

金や欲望のために感情を売り買いする歌舞伎町では、毎夜、オトコと女のトラブルが起きている。

コロナ禍の反動か、歌舞伎町には若い男女があふれていた

第4章

秋、セクハラ講習をうける新人ホスト

この数年で随分と歌舞伎町に関する良いニュースがメディアに流れるようになった。クリーンなイメージを目指し、歌舞伎町タワーなんかも建設されたが、相変わらず黒のワンボックスカーで誘拐される人は絶えずいるらしい。15歳から歌舞伎町を歩き、気づけばもうすぐ24歳。会社の飲み会の様子や留学先での写真、中学の同級生同士の結婚報告であふれるSNSを尻目に、相変わらず原価数千円のシャンパンを10万円でおろしている。同年代も、歌舞伎町自体もたった2年でこんなに変化したというのに、私の変化と言えば猫を飼い始めたことくらいである。

5月26日

トー横で違法薬物が蔓延……暗躍する「悪い大人」

「ちょっと前までは、普通に薬局で売ってる市販薬でパキってたんですけどね。いまはもっとヤバいことになってます」

トー横キッズのトモヤ（仮名・18）は、そう語る。

トー横キッズの存在がメディアに取り上げられるようになった2021年夏頃から、キッズたちの間でODは盛んに行われていた。ただここ最近は、子供の遊びではすまされないような危険な行為が目立つようになってきている。

「市販の風邪薬が効かなくなってきたヤツらが次に手を出し始めたのが、病院で診断を受けて出してもらう『処方薬』です。強めのせき止め薬や精神安定薬、睡眠導入薬といったもの。流行っているのは、『サイレース』という不眠症の薬をいちごミルクに溶かした『サイレースいちごミルク』ですね」（トモヤ）

サイレースを溶かしたいちごミルクは真っ青になる。これを飲んで口の周りを青くした画像をSNSに投稿しているキッズがあふれているところを見ると、「病みカワ」の一種とされているようだ。

「ODって、一回やるとクセになっちゃうんですよね。パキりグセっていうか。嫌なこと忘れられるし、仲間とバカやってる連帯感もある。でも薬が抜けた後がしんどくて、その苦しさを紛らわせるためにまたやっちゃう。SNSでツイートするのが楽しくて、仲間内でどれだけ薬をたくさん飲んだか自慢しあったりすることもある」(同前)

2021年5月には、歌舞伎町のホテルの上層階から、10代の男女二人が飛び降り心中する事件があったが、この事件もODをした後に起きたものだったとされる。しかし最近は、そこからさらに危険な状態になっているという。ボランティア団体「歌舞伎町卍会」の元メンバーが言う。

「卍会の総長だったハウルのような『薬物嫌い』な大人がいるときは、ODはあっても違法薬物はそこまで出回ってなかった。でも昨年の6月にハウルが逮捕されて卍会がなくなってから、キッズを狙う『悪い大人』が増え、一気に治安が悪化したんです」

その影響が顕著に表れた事件も起きた。

5月17日、トー横キッズに暴行を加えて車のトランクに監禁し、母親から身代金20万円を奪ったとして、暴力団員の男ら4人を逮捕したと警視庁が発表したのだ。男らはキッズを使って大麻や覚醒剤を売らせており、その売り上げを巡ってトラブルになっていたとみられている。

「ヤクザや半グレがかなりトー横に入り込んできているのは間違いない。そいつらがキッズを使って売人をやらせてるんです。いま、歌舞伎町で違法薬物を手に入れるのは簡単ですよ。そこらへんに立っているヤツに話しかければ売ってもらえることもあるし、SNSでエリアを指定して『手押し』と検索すれば簡単に売人と知り合える。手押しってのは、売人と直接会って薬物を取り引きすることを示す隠語です」(同前)

トー横は「居場所のない未成年が集まる場所」として報道され続けてきた。一方で、注目を集めることで、「未成年を利用して稼ごうとする悪質な大人たち」を呼び寄せてしまったとも言える。もちろんOD自体もけっして許される行為ではないが、そこに大麻や覚醒剤といった違法薬物が入り込んできたとなればもはや猶予はない。今回の逮捕を契機に、摘発が進むことを願うばかりだ。

6月9日

儲けたカネを男に全ベットする「ホス狂いギャンブラー」

ホストに大金を貢ぐ女性を「ホス狂い」と呼ぶが、彼女たちがカネを稼ぐ方法は多種多様だ。経営者や女医といったセレブがいる一方、大久保公園で立ちんぼをしてホスト通いのカネを捻出する女の子もいる。そんななか、最近の歌舞伎町で増え始めているのが、「ホス狂いギャンブラー」である。

毎月700万円ほどを売り上げる中堅ホストのシンジ（仮名・24）が言う。

「僕の姫（客の女性）にもいますよ。頑張って競馬や競艇を勉強して、けっこうな額を稼いでいるコ。ギャンブルで当たった月はドカンと使ってくれるのでありがたいですね」

実際、インスタグラムを覗いてみると、「ホス狂い競艇ギャンブラー」などと名乗るアカウントが情報商材を売っており、大金を稼ぎたい女の子にとってギャンブルが身近になっていることがわかる。シンジが続ける。

「ただやっぱり、ホス狂いギャンブラーのコは収入が安定していないので、あんまり売り上げの当てにしすぎるとよくないですね。風俗で稼いだお金で安定的に店に通ってくるコを確保しつつ、ギャンブラーも何人か囲っとくのが理想的なやり方だと思います」

ホス狂い女子は、いかにしてギャンブルに手を出すようになったのか。ホス狂い歴3年のサエコ（仮名・22）が言う。

「きっかけは、担当ホストに同伴でパチンコに連れて行かれたことです。ビギナーズラックでメチャクチャ当たっちゃって。いまでは風俗の退勤後にパチンコに行くのが日課になっています。一日の稼ぎのだいたい半額をツッコミますね。負けたら担当ホストには『今日あんまりお客さんつかなかった〜』って言って、勝ったらシャンパン入れてます（笑）。ただ、最近はホスト行くよりパチンコに熱中しちゃうときもあって……。『ホストに行く前にはパチンコに行かない！』って担当ホストと約束させられました」

ギャンブル熱が高まっている歌舞伎町。近頃は、こんな変わったギャンブルも流行しているという。ホストのユウ（仮名・26）が語る。

「『スマブラ賭博』がめっちゃブームですね。一勝負1万〜3万円とかで何十回もやるので、一晩で100万円以上負ける人もザラですよ」

「スマブラ」とは、任天堂の人気ゲーム「大乱闘スマッシュブラザーズ」のことである。自分の好きなキャラを操り、対戦相手を場外に弾き飛ばす格闘系ゲームだ。ユウが続ける。

「ホスト同士でやることもあるし、ホス狂いの女の子と対戦することもある。自分が貢いだカネでゲームに熱中するホストを見てるとき、女の子はどんな気持ちなんだろうって疑問に思うこともあります（笑）」

ホス狂いギャンブラーのなかには、興味のないホストからギャンブルでカネを巻き上げ、それを自分の担当ホストにつぎ込むツワモノもいる。

「ポーカーとか麻雀でホストをカモにしてます。そういう知的ゲームはちゃんと勉強すれば、弱いホストにならだいたい勝てるんで。で、勝ったお金をお気に入りのホストに貢いでる（笑）。たまに油断して、めっちゃ強いホストに麻雀で巻き上げられて、消費者金融に駆け込んだこともありますけど」（ホス狂いのクミ）

ホストとギャンブルに共通しているのは、中毒性が高いということだ。どちらにもハマり、身を滅ぼす女性は今後ますます増えそうだ。

インターネットカフェ7F
CUSTOMA CAFE
GiGO
5F
白木

6月23日

バイト代をもらってホストへ行く女性が急増中

歌舞伎町を歩いていると、見知らぬ女性から声をかけられる。

「お姉さん、ちょっとだけお時間ありますか？　『本数協力』してほしくて……」

近年、好きなホストの「指名本数」を稼ぐべく、ホス狂いたちが道行く女性に声をかけている。指名本数とは、1ヵ月間でそのホストを目当てに訪れた客の数で、売り上げ金額とは別に、店側がホストを評価する数字となっている。

「担当ホストが『本数ノルマ上げたい』って言うんで、友達に頼んで協力してもらいました」

ホス狂いのマユ（仮名・21）も担当ホストのために本数稼ぎをする客の一人だ。

「友達にキャッシャー会計（店に入らずレジで最低料金を支払うこと）してもらって、店には本数にカウントしてもらう。そのお金は私が出します。『奢《おご》り本数』ってやつです。私が一人で5万円使っても1本にしかならないけど、一人に1万円ずつ渡して5人で行けば5本になります」

いま、歌舞伎町では奢り本数が常套手段となっている。歌舞伎町周辺を走るホストクラブの宣伝トラックには、「売り上げ1000万over 指名本数100本over」といった数字が並ぶ。一日平均4人を集客すれば、こういった売り文句となる記録を達成できる計算だ。

「指名本数の締め日直前になると、ホス狂いたちはツイッターなどで『本数協力』を呼びかけます。とあるホス狂いの担当ホストの本数をつけに行ってあげたんですが、異様な光景でしたよ。ホス狂い女子が10人ほどVIPルームに押し込まれ、スマホにかじりついて本数協力のやり取りをしていました。そこまでして記録って欲しいんですかね」（カナ・仮名・23）

奢り本数を稼ぐホス狂いのなかには、アマゾンギフトやPayPayを使って、協力してくれた相手に1000円ほどのバイト代を渡している者もいる。

「協力する側にはデメリットもあります。ホストクラブに身分証を見せて、店によってはコピーを取られます。また、多くの店が永久指名制なので、そのお店に他のホスト指名で入店できなくなる。協力者を集めるホス狂いには、カリスマ性か謝礼金のどちらかが必要だと思います。SNSでフォロワーが多い子だと、ファンの女の子が協力してくれます」

(同前)

近年、指名本数のインフレが進んでいる。以前は、ごく一部のトップでも月間200本が限度だったが、いまは月間1000本という記録も耳にする。月間1000本ともなると、一日で30人以上の客を相手にしている計算だ。こうしたありえない記録も、奢り本数とSNSが組み合わさることによって可能となった。歌舞伎町ホスト3年目のジュン(仮名・24)は、〝本数バブル〟によって、ホスト沼にハマっていく女性客を見てきた。

「もとは、ホストに対して売り上げ以外の評価軸を作るのが目的でしたが、奢り本数によって形骸化してしまった。

ただ、女の子にとってはいいシステムですよ。月数回来て使ったお金が25万円だと細客《きやく》だけど、毎日1万円で25日来ればその女の子は本数を一番稼ぐ〝本数エース〟になれる。多額のお金を使えない子でも、担当ホストに貢献できている実感が得られるので、一所懸命奢り本数を稼ぎにいきます。

〝本数エース〟は、お金をかけないでホストに相手にされるので、ホストに月数百万円を貢ぐ〝売り上げエース〟の子からは、目の敵にされていますけどね(笑)」

ホストの本数競争に巻き込まれた女性たち。彼女らの強い使命感によって、今宵も熾烈《しれつ》な争いが繰り広げられている。

指名本数を稼ぐため、女性を店に呼んで自ら代金を肩代わりするホストもいるという（写真・結束武郎）

7月7日

モテマニュアルを売りさばく元歌舞伎町ホスト

ホストクラブやキャバクラ、風俗での騙し騙されは日常茶飯事。歌舞伎町では日々色恋営業が行われ、人々の恋心やコンプレックスを利用した新ビジネスも後を絶たない。

月間1000万円以上の売り上げを叩き出す現役ホストのユウタ（仮名・25）もその一人だ。彼は、一攫千金《いっかく》を狙って歌舞伎町へ足を踏み入れたものの、客のつかない〝落ちこぼれホスト〟らに自分のノウハウをレクチャーしているという。

「店の後輩だったら指導することそのものが仕事だし、店の売り上げが上がれば僕のメリットになりますが、他の人はそうじゃないので普通にカネを取ってますね（笑）。料金は一時間5万円。実際に僕のノウハウを実践して売り上げが伸びたって声が多いです。でも、自分を脅かすほどの人にはまだ出会えてないかな」

最近は、こういった講師による教育を所属ホストに受けさせる店も多い。

また、ホスト業界同様、女性の心をつかみ、一攫千金を狙うのが「ナンパ師界隈」である。ナンパ師は女性をナンパし、セックスをすることだけが目的ではない。その後の手練手管で女性に「貢がせる」ことを主なゴールとしているのだ。そのため、「元ホスト」「元売れっ子ホスト」などの肩書はナンパ師界隈と非常に親和性が高い。「【未経験から3ヵ月で500万円以上貢がせた元ホストナンパ師による】貢がせの極意」といった有料記事は6000円ほどとやや高めの価格だが、ナンパ師を目指す男性たちに飛ぶように売れているという。

「知り合いが有名なナンパ師に貢いでいたんですけど、本当にヒド

い手口でしたよ」

そう語るアケミ（仮名・27）は、大学のインカレサークルでナンパ師に人生を狂わされた友人を目の当たりにした。

「完全に引っかかったなって思いました。ただ、『自分が好きになった人と初めて付き合えた』って幸せそうだったので、水を差せませんでした。やがてナンパ師がホストを始めると、貯金を全額彼に貢いでしまった。その後、彼女は風俗で働き始めて、大学も中退して、ついには音信不通に……。

そのナンパ師はそうやって一年くらいホストをやった後にサクッと辞めて、〝元ナンパ師〟としてナンパのノウハウが書かれた有料ブログを販売して、かなり儲けていました。やるせない気持ちにはなりますが、実際に貢がせ方がうまいんでしょうね」

ホスト経験者がナンパ師として情報商材を売りさばくケースもあれば、元ナンパ師がホストに転身して1億円近くを稼ぎ出すこともある。どちらも女性に貢がせるプロであることには違いない。

また、カモにされるのは女性だけとは限らない。地続きの職業に「外見コンサル」がある。彼らは、非モテの男性に向けて、女性にモテるための美容や髪型、ファッションなどのアドバイスを行う。こちらも元売れっ子ホストなどが参入しており、ホストよりも高い月収を稼げるのだそう。彼らは冴えない男性の顧客を探すのに、ホスト時代の女性客から彼女たちのパパ活相手やキャバクラの男性客を紹介してもらうこともあるという。

いま、歌舞伎町発のこうしたコンプレックスビジネスが、都内を中心に無数に渦巻いている。筆者が渋谷へ行っても、歌舞伎町の住人からナンパマニュアルを購入したであろう男性から声をかけられることがある。歌舞伎町ビジネスのしたたかさに、あきれるばかりである。

8月4日

マッチョたちは生き残れるのか

ホストにキャバクラ、デリヘルや女風など、歌舞伎町ではありとあらゆる水商売や風俗店が軒を連ねる。そんななか、歌舞伎町に唯一なかったのが「マッチョバー」だ。マッチョバーと言えば、筋骨隆々とした男性たちが、客に酒を振る舞い、カウンター越しに筋肉を触らせる店である。かつては歌舞伎町にも1店舗存在したが、3年と持たずに閉店してしまった。

「歌舞伎町って基本的に色恋を売る街だから、細くて女性の庇護《ひご》欲を駆り立てる男がモテる。ここではマッチョってほぼギャグとしてしか見られないんです」

そう語るキャバ嬢のリサ（仮名・23）は歌舞伎町で働き始めて3年になる。しかし、マッチョな男性のエロさやトキメキを買える店には出会っていないという。

「歌舞伎町だとマッチョの居場所はないですよ。強いて言えばサパーかな。サパークラブだと、店内にはステージがあって、ショーでお客様を盛り上げてくれる。店員は男女どちらもいて、客がショーに参加することもあります。太った店員がレオタード姿でシャンパンを一気飲みしたり、ＢＧＭに合わせて下半身を露出して、ち◯こを業務用ドライヤーでブンブン回したり……。芸人の裸芸に近いです」

客層も幅広く、夜職がアフターで行くこともあれば、企業経営者の接待などで使われたりもする。比較的安価なのも特徴だ。

歌舞伎町を追われたマッチョが行き着いたのは、各停で7分の中野。

「ハイボールお願いしマッスル！」

繁華街から外れた雑居ビルの一室にあるマッチョバーでは、マッチョと女性客たちがひしめき合い、店の外にも連日行列ができる。カウンター席とボックス席があり、狭い店内を10名ほどのマッチョたちが縦横無尽に動き回っている。

客は30分１５００円で飲み放題だが、同席した店員に飲ませる酒は客が別料金で負担する。客は入店時に１０００円で10「マッスル＄《ドル》」のチップを購入。チップを使って、ハグや床ドン、お姫様抱っこなどさまざまなオプションがつけられるという。なかでも一番人気は、15マッスル＄の「マッスルお注射」。キャストが客の膝にまたがり、腰を振り、抱きしめながら注射器に入ったドリンクを飲ませる。

「正直言って、売れるには筋肉よりも顔ッスね。指名制度はなく、どのお客さんを接客するかはキャスト個人が決めています。通い詰める女性もいますが、その場限りの盛り上がりを求めて来る人が多いっすよ」（キャストのナオ・仮名・22）

元ホス狂いで、現在は二次元の推し活にハマっている人妻のアイコ（仮名・27）もマッチョバー利用者の一人だ。

「私は二次元の推しの顔をコピーして、それをマッチョの顔に貼って、写真を撮ってます。好きなキャラが三次元に出てきた感じがして満足です。自分にいろいろやってくるのは別にいらないかな」

アイコいわく、ホストとマッチョバーでは、客層も楽しみ方も相容《あいい》れないという。

「ホストクラブよりもライトに楽しむ人が多いです。ぴえん系はほぼおらず、ＯＬっぽい人ばかり。ボーイズバーが〝マッチョ〟という皮を被って、距離感の近い接客をしているイメージですかね。ホスト以上に徹底的に外見を売っていて、疑似恋愛ではなく、接触によるドキドキを楽しむ。表面的な付き合いを前提としているので、気兼ねなく推しのイラストを彼らの顔に貼り付けられます」

殴り合いをすれば確実に強いマッチョたちだが、歌舞伎町の原理では華奢《きゃしゃ》なホストたちのほうが圧倒的強者なのかもしれない。

03-3203-9020
I 歌舞伎町
B1
B2

8月18日

「スタジオジブリ」の恩恵を受ける新米ホスト

宮崎駿《はやお》監督（82）による10年ぶりの新作長編映画『君たちはどう生きるか』の興行収入が、公開1ヵ月で62億円を突破した。広告を打たず、内容も一切秘密。「スタジオジブリ制作」の看板のみで公開日を迎え、大成功を収めた。歌舞伎町でもそんな「スタジオジブリ」のネームバリューからちゃっかり恩恵を受けているホストが多くいる。

「『千と千尋の神隠し』で、主人公の千尋の支えとなる少年『ハク』から源氏名を取ったホストが100人近くいるんすよ。他にも『ハウルの動く城』の魔法使いから取った『ハウル』とかもいます。『少年ジャンプ』作品から源氏名を取る者も多いですが、ジブリキャラの人気は圧倒的です」

そう語るコハク（仮名・23）も「ハク」から源氏名を付けたホストの一人だ。

「僕は普通の家庭で育ったんですけど、歌舞伎町にはいろんなお客がいる。クリスマスの話題一つとっても、『家でクリスマス祝ったことない』って人がいたり、『映画館行ったことない』とか、育ってきた環境がさまざまなんです。共通の趣味の話を見つけるのが難しい場面がある。ただ、ジブリだったらみんな観てるんですよ。『コハクって名前は〈千と千尋〉のハクの正式な名前ニギハヤミコハクヌシから取ってて～』って初対面のお客に話して、そこからジブリネタで会話を広げたりしてます（笑）」

いまや、スタジオジブリのブランドは歌舞伎町でも共通言語として重宝されている。最近では、ジブリ作品に出てくるキャラクターの名前が、風俗嬢の間で隠語として使われているという。

「めっちゃしつこいメンヘラ客のことは〝タタリ神〟、女にもらった物を他の女にあげるやつは〝アシタカ〟って呼ばれます。あと、クソ客の隠語として使われるのが、〝カオナシ〟ですね。『あっあっ……』ってうまく話せないから、お金でなんとか気を引こうとしてくる。いざ断られると『このクソ女！』って豹変する感じがまさにそうですよね。『カオナシ系のクソ客がさ～』っていうと、だいたい夜職の子には伝わります」（ユミ・仮名・22）

『千と千尋の神隠し』の舞台となる湯屋は、ソープランドに似た特徴が非常に多い。異世界の湯屋で働くことになった千尋は名前を奪われ、大浴場ではなく個室風呂で神様の世話をする。そのため登場人物の〝カオナシ〟が「風俗のクソ客」と言われると、妙に腑《ふ》に落ちるのである。

「ハクって名前のホストを指名してたとき、『俺の千尋になって！』ってノリで言われていたんです。その後、気づいたら彼のためにソープ嬢になってたので、マジで私って千尋じゃんって思いました（笑）」

そう語るリン（仮名・24）はソープランドで勤務してから、さらに『千と千尋の神隠し』が好きになったという。

若い容姿を活《い》かし、刹那的な人生を送っている歌舞伎町の面々。ジブリ最新作が上映されているＴＯＨＯシネマズ新宿の横で、夜職たちはどう生きるか。

4F

8月27日

違法行為の〝隠語絵文字〟を駆使する歌舞伎町ネット住民

「🐘🌳👋に興味ある人いますか？」

そんな投稿がSNSで出回った夏の新宿歌舞伎町界隈。ネットでの検索に引っかからないよう、性風俗や違法行為はこういった隠語絵文字に変換され、人々の間に広まっていく。こちらの隠語はなんのことかおわかりになるだろうか。ゾウ、木、バイバイと手を振る絵文字……。そう、正解は「臓器売買」。臓器売買をこのようなポップな絵文字で勧誘しないでほしいものだが、こうした隠語文化は歌舞伎町ではポピュラーだ。

P20で、パパ活などでの「大人」（性行為）を「⚒」で表すと紹介した。他にも、食事のみの場合は「🍽」、カフェなどでの顔合わせは「☕」と表現される。こうした隠語絵文字は、いまやかなり多様化している。

【初級編】

基本的な例を挙げると「🛀」と「🚗」、それぞれソープランド、デリヘルの意味で使われている隠語絵文字だ。

「『🚗嬢』『🛁🚗掛け持ち』とか、SNS上でプロフィール欄に自分の仕事を書くときに使うことが多いですね。便利だし、わかる人にだけ伝わればいいから使っています。別の隠語と組み合わせて、『🏩🚗』でホテルに行くデリヘル。『🏩🚶‍♀』『🏩』とかもあって、これはホテヘル嬢のことです」（アカリ・仮名・20）

デリヘルが広範囲に派遣され、主に車移動なのに対し、ホテヘルは近隣に嬢自身が歩いていくため、こうした絵文字が使われているという。一方で、数少ない箱ヘル（本番なしの店舗型のヘルス）の隠語は、箱の絵文字にして「📦」と表記されるのだという。

風俗がさまざまな隠語絵文字で詳細に表記されるのに対し、「🥂」や「🍾」など水商売全般は、シャンパンの絵文字で大まかに表現されるという。

「ラウンジやギャラ飲み、キャバクラなどは大きな違いがないし、別に違法営業しなくていいから、普通に『キャバ』とかって言えばいい。別に隠語にこだわる必要はないかな」（レナ・仮名・23）

【中級編】

違法行為の多い業界ほど隠語絵文字が発達しており、とくに風俗嬢の間では爆発的な広がりを見せている。

「ネイティブじゃないと判読が難しいのが『🍜💆‍♀』『🎈💆‍♀』。それぞれメンズエステ（嬢）、風俗エステ（嬢）のことです。双方の違いはほぼないんですけど『🎈💆‍♀』のほうが抜きアリ前提のニュアンスを含んでいますね。とはいえ、どんな表記でも違法店はあるんで、完全健全店舗の場合は『健全🍜』って書いたりします」（前出・アカリ）

嬢のなかには「油塗りやさん」と可愛く表現する者も。やることはオジサンのカサカサの肌にオイルを塗り込むことなのだが……。

また最近よく目にするのが「✈」の絵文字だ。海外出稼ぎを隠語にしたもので、「✈」の脇には、出稼ぎで行ったことのある国の国旗の絵文字が。国旗が並ぶSNSのプロフィールだけを見れば、旅行好きのインスタ女子にも見えるのだが、やっていることはまったくの別物である。

【上級編】

さて、こうした隠語をすべて盛り込んだプロフィールが左ページの画像となる。

まず気になる名前の「幹部補佐」とはホストの役職。指名している担当の役職を自分のプロフィールにも入れており、彼女はホス狂いなことがうかがえる。その横の（完／5）（3／7）は出稼ぎのスケジュールであり、5日間の出稼ぎを終え、現在7日間の出稼ぎの3日目という意味だ。歌舞伎町初心者を自称しつつ、メンズエステとパパ活交際クラブの掛け持ち、時々デリヘルの出稼ぎに行っている猛者であることがわかる。さらには20歳以上で本業は学生……ということが、書かれているのだ。

　こういった隠語を駆使して、SNS上で日々の愚痴を吐き出したり、同業同士の情報交換を行ったり、はたまた客とのやり取りを行ったりする歌舞伎町の住民たち。「わざわざ隠語で話すくらいならSNSをしなければいいのに……」とも思うが、日々のうっぷんを晴らしたい彼女らにとっては必要不可欠な営みなのだ。

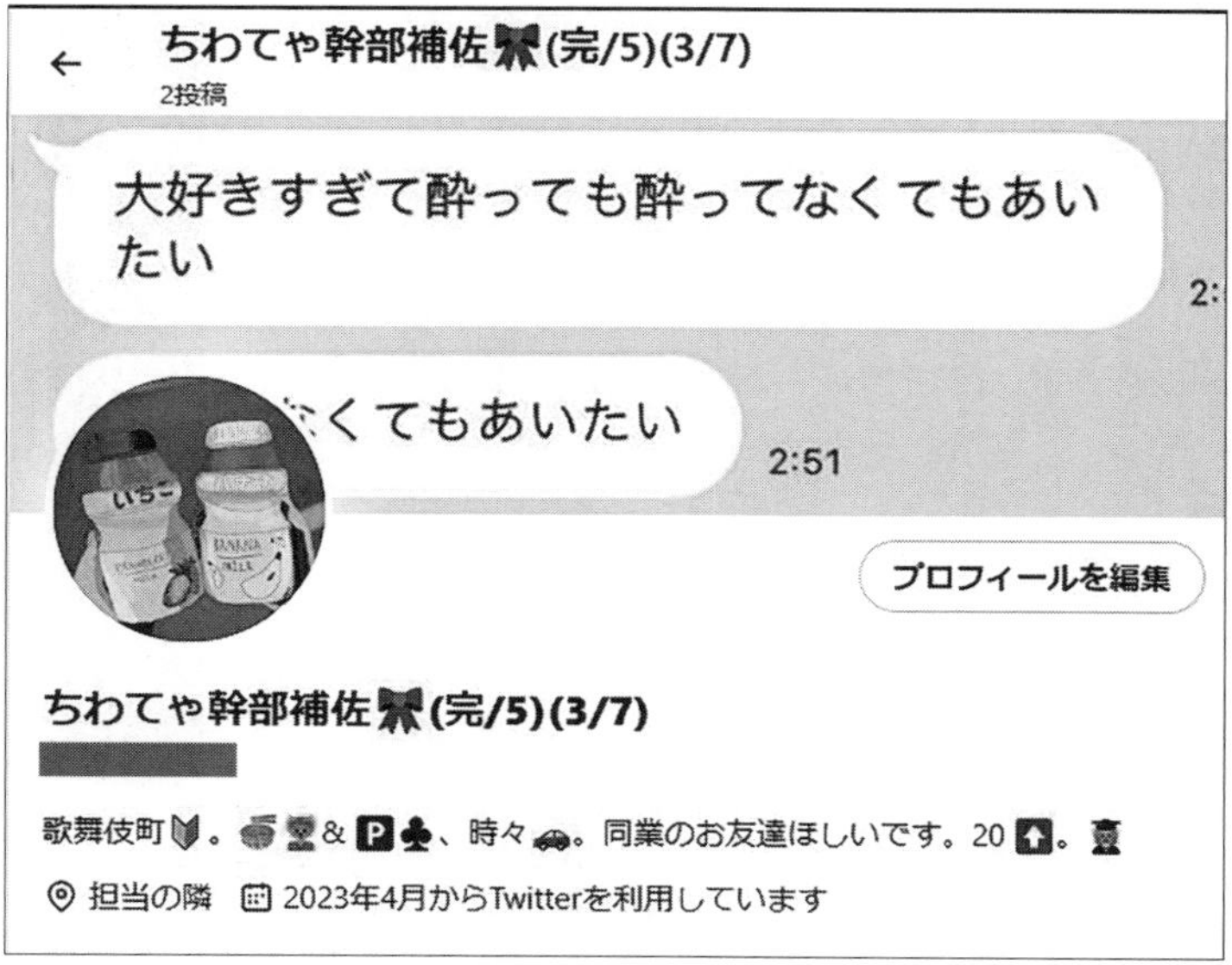
ちわてゃ幹部補佐(完/5)(3/7)
2投稿
大好きすぎて酔っても酔ってなくてもあいたい
2:
くてもあいたい
2:51
プロフィールを編集
ちわてゃ幹部補佐(完/5)(3/7)
[redacted]
歌舞伎町。&、時々。同業のお友達ほしいです。20。
担当の隣
2023年4月からTwitterを利用しています
とある歌舞伎町女子のプロフィール欄。文章の半分以上が隠語絵文字だ

9月8日

ホストクラブの特殊な福利厚生に殺到するホストたち

各企業の秋入社を見据え、毎年夏から秋口は転職活動シーズンだ。転職者数は年々増加。2022年には約300万人超が転職をした。就活中の人々にとって気になるのが、各企業の福利厚生や待遇だろう。そんななか、待遇面だけでいえば、ホストクラブはうらやましいほどに福利厚生が充実している。

「上京費から入店後の生活費まで、全部負担してもらいましたね」

そう語るホストのアキト（仮名・20）は、2年前に富山から上京してきたという。

「地方でのスカウトも兼ねて、社員旅行で俺の地元にホストさんたちが来てたんすよ。声をかけられて、飯を奢ってもらいました。東京への交通費は支給されるし、2ヵ月間は、給料も小計売上（税金・サービス料を差し引いた金額）100％バックで、寮費も無料。ロクな仕事もしてなかったし、翌日そのままついていきました」

こうした上京費用負担をしている店は珍しいわけではない。なかには面接に来るだけでも往復の交通費を負担する店もある。さらに、面接で説明を聞くだけで、交通費に5000円ほどを上乗せして支給する店も存在するという。そこまでしてでも、ホストクラブはキャストを増やしたがっているのが現状だ。

「ホストクラブは、常に人材不足ですよ」

そう語るのは歌舞伎町歴8年目のリョウスケ（仮名・27）。元ホストで、いまは内勤（ホストクラブの裏方）をしている。

「たくさんスカウトしても売れる子は、ほんの一部。多くは、小計売上が月に50万円以下。彼らの日給は7000～9000円ほどで、普通のサラリーマン以下なので、低コストなんですよ。売れたら儲かるし、売れずとも店にはある程度カネが入る。総数を増やしていかないと、売れっ子は生まれませんから」（同前）

交通費の支給や家賃補助などは、一般企業にもある福利厚生だ。しかし、歌舞伎町のホストクラブはそれだけではない。

「最近は『整形手当』がある店も増えています。新入りホストは、垢抜《あか》けていないことが多いですから」（同前）

新入りにいち早く稼がせるため、店が整形費用を負担してくれるというのだ。

「リスクとして、YouTubeやSNSで整形の過程に密着されることがある。最低限

の在籍&勤務期間が決まっていたり、売り上げノルマが設けられていたりするなど、条件付きの場合が多いです」（同前）

大手ホストクラブ求人サイトで、関東圏に絞り「整形代支給・割引あり」と条件を入れて検索すると、なんと87件もヒットする。しかし、こういった整形手術を気軽にできる環境が、ホストたちに悲劇をもたらしているという。

「福利厚生の範囲で費用は店持ちだからといって飛びつくと危険です。とくに歌舞伎町御用達の整形外科で施術するときは慎重にならないと」

ホストのショウジ（仮名・26）自身、月数百万円を売り上げながらも、整形手術にハマり、ジリ貧で生活していたうちの一人だ。彼はプロテーゼ入りの鼻を指でさすりながら苦笑すると、ホストが〝整形沼〟にハマる仕組みを明かした。

「月収300万円のホストだと、女の子へのお礼のプレゼントやご飯代や自分の生活費で、毎月ザッと100万円ほど消えていきます。自分に貢いでくれている女の子たちに還元するのはマナーとして当たり前。また、歌舞伎町には『稼ぐヤツは、売れっ子らしく羽振り良くいろ』という風潮があるので、雑費も多い。金銭感覚が狂っていく一方で売り上げが伸び続けないと不安になりますよね」

いまや整形手術は、ホストにとって一種の精神安定剤になっているという。

「たいていのホストは、売り上げが伸び悩むと安易に整形に走ってしまう。ただ、整形外科医のなかにはホスト向けの施術をやりすぎて、美の基準が〝歌舞伎町〟になってしまう医者もいます。歌舞伎町には世間一般のアイドル等とはまた違う美の基準があって、ホスト顔になる施術ばかりしていると、整形外科医として正しいバランスが保てなくなる人もいるようです。

整形の福利厚生を使うなら、明確に自分のなかでビジョンを持つことが大事。整形による借金と、歌舞伎町以外では通用しない量産ホスト顔のまま年老いて……ということもザラですから」（同前）

好条件に見える求人でも安易に飛びつかないほうがいいのは、一般転職でも歌舞伎町でも変わらないようだ。

9月15日

〝歌舞伎町セクハラ対策講座〟を受ける新米ホスト

ジャニーズ事務所の性加害問題が日々報じられているが、歌舞伎町ではホストに性的サービスを要求する客が増えているという。

「いや〜……ジャニーズの性加害の具体的な報道を見ていて、正直、他人事とは思えないですね」

そう答えるミナト(仮名・24)はホスト一年目。初対面の女性客との接客中、性的サービスをせざるを得ない空気になることが多いという。

「知らない人に触られたくないので、初回ではテンション高くしてボディタッチされるのを避けてますね。そういう子ってイチャイチャできれば誰でもいいから、次指名してくれる可能性が低いんですよ」

初対面にもかかわらず、「今日枕できるなら指名してあげる」「私の指名しているホストと3Pできる男の子を探している」「ホテル行ける?・」そうしたストレートな言葉を受けることもあるという。

「前にいたお店で、VIPルームに初回で入ったお客様が、他のホストに『アンタ、ここでどこまでできるの？』って財布の札束を見せながら煽ったことがあって。そしたら、彼はVIPルームで二人きりになって……。さすがに最後までやっちゃうことはなかったそうですが、『ちょっと手で遊んであげたら40万円くれた』って言ってました」（同前）

実は、こういった枕営業は、ホストクラブ特有のものだ。同じ水商売でも、接待や気軽な飲みの場にも使われるキャバクラに比べると、ホストクラブのほうが圧倒的にガチ恋のおひとり様客が多いためだ。

「アイドル売りをしているようなホストのなかにはなかなか枕をしない売れっ子もいるけど、たいていが色恋の延長線上に枕営業を取り入れてますよ。枕営業の目的は、客の性欲を満たすよりも、『あなたは性的に魅力がある』と客の承認欲求を満たすことですから」（同前）

相手を褒めるために、相手の性的な魅力を賞賛しなければいけない商売。客からの要求は黙認されているが、ホストから客へのセクハラは厳禁だ。最近、店舗によっては、ホストたちにセクハラ講習を行うところもあるという。

「私の担当が働いてる店でやってたよ。〝初回講習〟って名前だったかな」

そう語るエリカ（仮名・21）は、ホストクラブに通うキャバ嬢だ。

「若い子でも、普通に『胸大きいね？』とか、バストサイズとか聞いてきますよ。マジで褒め言葉だと思ってるヤツもいてタチが悪い。

ホストの客って大半がキャバとか風俗嬢だから、こっちがお金を払ってるホストに、普段接客してる客たちと同レベルのセクハラをされると余計に腹が立つんですよ。とくに、ホストは、自らが外見の良さで売ってる人が多いから、客の外見も褒めてくる。喜ぶ子もいるけど、日々、見た目で比べられて疲弊してる女にしてみたら、それ普通に不愉快だから」（エリカ）

そうしたセクハラ接客で喜ぶかどうかを見極めることができるのが売れっ子の技なのだが、まだ未熟な新人たちは店舗で接客講習を受ける。講習では、売れっ子ホストや店と信頼関係のある女性客などが講師となり、「見た目ではなく、センスを褒めろ」と教えたり、「胸大きいね」「お尻エロいね」「性欲強そう」などのNGワードを言わないよう叩き込んだりするという。

セクハラはしないように気を遣いつつ、相手の承認欲求を満たし、時には枕営業も辞さないホストたち。無法地帯に見える歌舞伎町でも、コンプライアンスが芽生えつつある。

人見知りだったり、売り上げが伸び悩んだりしたホストが「セクハラ接客」に陥りやすい（写真・結束武郎）

10月19日

〝ハイブランド信仰〟から脱せないホスト

今春から、東京都は華美な宣伝トラックの規制の強化を検討中だ。歌舞伎町周辺では、風俗求人「バニラ」に始まり、ホストクラブなどの宣伝トラックが車体をビカビカ光らせながら走っている。トラックの側面には、似たような整形手術と写真加工を施したホストの顔が並ぶが、実は彼らは着ている服もほぼ同じなのだ。

「歌舞伎町ホストは、とにかくハイブランドが好きです。『ルイ・ヴィトン』は不動の人気で、数年前から『グッチ』や『バレンシアガ』『セリーヌ』も人気です」

そう語るアラタ（仮名・23）はホストになりたての頃、先輩から大量にブランド物の服をもらったという。

「ホストを始めると、まずは見た目にカネをかけるんです。そこらへんにいるようなヤツに、女の子は数万、数十万円を使わない。だからちゃんと価値があるように見せるべく、ブランド物の服やアクセサリーで武装します。売れてないホストは数年前の擦り切れたハイブランドのTシャツをずっと着てたりしますよ」

アラタいわく、パッと見てハイブランドだとわかるのが重要なため、ホストたちはロゴやブランド名が大きく書かれた服やアクセサリーを好むという。

「売れてるホストはデパートでハイブラの新作を大量に買うので、いらなくなった服は後輩に配るんです。自分で買った雰囲気を出しながら『ホストは見た目が大事で〜』とか語ってるけど、全部先輩のお下がりって奴もいますよ。それを古着屋やメルカリで売って、また古着のブランド物を買う奴もいます」

彼らにとって、本当に高価であるかどうかは二の次なのだ。

「ハイブラのランクがわかるかどうかで、そのホストの良し悪しがわかるんです」

ラウンジ嬢のマリカ（仮名・28）は、ホストクラブにも高級なアクセサリーをつけていくという。

「280万円の『ハリー・ウィンストン』のネックレスをつけてるのに、知ったかぶって『〈ヴァンクリーフ&アーペル〉だね』って言われた。同じ四つ葉のクローバーの形のアクセでも、240万円も違うから！　そこまでわかるホストはほんの一握りなんだよね。売れてるホストはちゃんと高い物がわかってんなーって思う」

客の装飾品を見る目がないだけでなく、自らが偽物を身につけるホストも多い。

「以前、何回か指名したホストから、彼がつけてた『ティファニー』のネックレスをもらったのね。『次は身につけてお店に来てねー!』って。後日、いくらのものなんだろう、って思ってノリで質屋に見せたら、偽物でした(笑)」(マリカ)

ブランド名がデカデカと書かれたTシャツやジャケットにブローチ、さらにネックレスや指輪も重ねづけ……。ホストクラブの内勤スタッフであるタイスケ(仮名・31)ですら、いまどきの〝歌舞伎町ファッション〟に辟易しているという。

「一昔前は、オーダーメイドスーツが一種のステータスでした。でも、本当にお金を出さないと手に入らない物に価値を見出せるホストを育てる余裕は店にないし、ホストも早く稼ぎたい。手っ取り早くて低コストで、付け焼き刃の飾りが人気なんです。『俺は、ザ・ハイブランド興味ないから~』って言ってるホストも、結局、『ヨウジヤマモト』のようなモード系高級ブランドが好きなだけです」

歌舞伎町では「ホストがハイブランドを買いすぎたから、伊勢丹新宿店にメンズ館ができた」という都市伝説がささやかれるほど。ホストのセンスの貧困さが、異常な〝ハイブランド信仰〟を生み出している——。

ホストクラブ「CLUB ARCH」のきっぺーもハイブラ好き売れっ子ホストの一人だ

11月5日

食欲の秋に本領発揮！ 急増する元料理人ホスト

「スポーツの秋」「読書の秋」「芸術の秋」などがあるが、歌舞伎町ホストたちは「食欲の秋」に力を入れている。

「食事に関する知識は、ホストの売り上げに直結するんですよ」

そう話すホストのカイト（仮名・26）はホスト歴3年にして、多くの後輩の面倒を見る売れっ子だ。

「系列店の後輩や最近頑張ってるなと思うキャスト、営業後にお腹を空《す》かせてるキャストにも、上位ランクのホスト飯《めし》（ホストが客の女性を連れて行くような鉄板焼き店など）を奢ります。暗黙の了解で、売れて役職が高い人が、そういう店を後輩に教えるんですよ」

売れているホストほど、女性と店外で食べる機会も増えるため、歌舞伎町周辺の飲食店事情に精通しているという。

「僕も売れ始めの頃、代表にありとあらゆる名店に連れて行ってもらいました。夜職の女の子は男性客に高いものを奢られてるし、お金をたくさん使ってくれる昼職の女性も稼いでいてグルメが多い。当時は『売れたらこんなご飯を毎日食べられるのか！』ってハシャぐだけでしたが、後輩たちには『いいお客さんをつなぎとめておくために、飲食店の知識を身につけて、スマートに誘えるようにしておくんだよ』って教えています」（カイト）

歌舞伎町のホストクラブでは、店を一歩出れば、女性客の食事代は基本的にホストが負担する。「300万円使った日のアフターがラーメン屋で萎《な》えた」「指名して半年記念日に高級ディナーを予約してくれた！」など、ホス狂いの女性たちは、彼らが連れて行ってくれる店の価格帯が自らの評価だと感じている。

ここ最近では、手料理で勝負するホストも増えている。その背景には〝元料理人ホスト〟の増加があるという。

「コロナ禍で飲食店が一番打撃を受けたから、やっぱホストにも飲食店関係者が多いのかもしれないですね」

そう語るホス狂いのミサキ（仮名・22）が指名していたホストもコロナによって歌舞伎町に流れ着いた若者だったという。

「シェフを目指していたんだけど、コロナの後遺症で嗅覚が鈍くなってしまったらしくて。作ってくれたビーフシチューとかサラダは美味しかったけど、彼が修業していた一流店では何度作っても『香りも味も違う』って料理長に言われ続けて絶望しちゃったみたい。他にも『実家の飲食店がコロナ禍で借金を抱えて、店を立て直すためにホストになった』とか、『シェフ見習いが薄給すぎて耐えられなくなった』とか『港区の金持ちが集まる高級飲食店で働いていたらスカウトされた』ってホストに会ったことがあるかな」

元料理人ホストのなかには、職人気質《かたぎ》ゆえに女性そっちのけで何時間もスープを煮込んだり、SNS用の料理写真を撮影したりして嫌われたという失敗談もあるという。

大手ホストグループ「シンスユーグループ」は特殊技能を持つホストを評価しようと、さまざまな選手権を行っている。

「8月末には『料理王』選手権が開催され、現役ホストたちがお題に沿った手料理を披露しました。グループの役員たちが採点し、見事1位に輝くとグループの系列店舗として自分の飲食店を持つ権利が与えられます。今年1位に選ばれた鬼《きさらぎ》

一番料理がうまいホストを決める「料理王」選手権で優勝した鬼柊のチキンソテー

柊《しゅう》は、もともと海上自衛隊の料理人でしたね」（シンスユーグループ社員）

日々、ホストたちは女性の胃袋をつかもうと鍛錬する。しかし「私そういうのわかんないし、グミしか食べないいんだよね」と偏食女子にバッサリ斬り捨てられることもある。女心と秋の空はやはり予測不能だ。

11月15日

交際相手がトー横キッズに……恋心と親心を抱く中年男性

例年、春から夏にかけて増え、寒くなるとその数を減らしていくトー横キッズたちだが、今年は暖冬傾向でまだまだ彼らのオンシーズンは続きそうだ。

「彼女はトー横に通い始めてから変わってしまいました。何か犯罪に巻き込まれたりしないか心配で眠れません……」

そう話すのは都内近郊に住むゴロウ（仮名・40）。「ツイキャス」のライブ配信を通して知り合い、連絡を取り合ううちに交際に発展したマイ（仮名）は現在18歳だという。マイの両親と3歳しか歳の違わないゴロウは、トー横キッズとなった彼女に、恋心と親心が入り混じった複雑な心境を抱いているという。

「彼女は半年ほど前、同じく『ツイキャス』で知り合ったリンカ（仮名・14）という女の子に誘われて歌舞伎町に入り浸るように。マイは、比較的物静かで積極的な子ではないのですが、交際当初から実家に居たがらなかったり、ODしたり、どこか居心地のいいたまり場を求めていました。僕がその居場所になれたらと思っていたのですが……」

ゴロウいわく、「ツイキャス」で配信をしている若者のなかには「地元にトー横がないから、ここ（ツイキャス）にいるしかない」と漏らす者もいたという。リンカには同級生の彼氏がいて、彼は「トー横に行くのをやめてほしい」と説得しようとしたが、煙たがられるだけだったそう。その話を聞いたゴロウは、マイがトー横に行くことを強く引き留められなかった。

「友達とか、自分が好きな場所を否定されたら反発しちゃうじゃないですか。僕自身、若い頃はヤンチャしていたので、仲間同士のたまり場が楽しい気持ちはわかる。マイと接するときは、そのときの気持ちを忘れないようにしています」

ゴロウはマイを連れ戻そうと歌舞伎町に行くことも考えたという。しかし、彼がキッズたちのテリトリーに土足で踏み込んで保護者のように振る舞えば、マイは心を閉ざし、トー横以外の逃げ場を失うのではと危惧し、踏みとどまった。

「彼女がいるトー横がどんなところなのか、ネットで調べれば調べるほど心配です。9月末になってマイから『別れたい』って言われました。最初は年上の女性を姉のように慕い、彼女の家で寝泊まりしていたようですが、トー横で出会った20歳くらいの男の子と仲良くなって、そのまま交際を始めたみたいです」

ゴロウは自宅に、マイの服や日用品を残してあり、実家に帰らないマイの安否をマイの親に伝えることもあるという。

「お金に困ったら連絡が来ます。断ったらマイが援交や売春に走ってしまうんじゃないかと心配で、定期的に会っていくらか渡しています」

トー横ではSNS上でハッシュタグをつけて投稿する「自撮り界隈」が交流のベースになっている。トー横へ時折遊びに行くリョウ（仮名・18）が言うには、SNSで知り合った友人同士がリアルで交流したり、路上で知り合った友人とアカウントを交換することでネットワークが広がっていくという。

「キッズの誰かとSNSでつながってトー横に誘われたり、自分から会いたくなって来たりする子が多いです。来る者拒まずでオープンに思われがちだけど、ネットでのつながりが強いから大人が入り込みにくい。キッズの親玉を逮捕しても、一斉補導しても、完全に解体するのは難しいと思います」

学校や家庭よりも楽しい場所を求めるキッズたちはトー横に、友人や恋人などすべての人間関係を得られる桃源郷を夢見ている。

トー横では女性が金銭を工面し、男性が女性のメンタルケアをするカップルが多い

11月23日

頂き女子たちにホストが勧める……マニュアル作成者増殖の闇

横浜市の男性から現金約1億1700万円を騙し取り、さらにそのノウハウをマニュアルとして販売していた「頂き女子りりちゃん」こと渡邉《わたなべ》真衣被告（25）が連日メディアを賑わせている。騙し取ったお金のほとんどをお気に入りのホストに流していたりりちゃん。歌舞伎町のホスト・田中裕志（源氏名・狼谷《かみや》歩）容疑者（26）と、所属店店長が組織犯罪処罰法違反の疑いで2度、逮捕された。彼らは、渡邉被告が男性から詐欺で騙し取ったと知りながら、計5360万円を飲食代として受け取っていたという。ホストクラブ事情通のアヤカ（仮名・24）が語る。

「噂に聞くりりちゃんの歴代の担当を見ていると、彼女の好みはバラバラですね。最初の担当が太客をガンガン捕まえる猛者で、そいつがりりちゃんにマニュアルを作るのを勧めたっぽい。りりちゃんは2020年頃から数本のマニュアルを販売していて、その間に2回ほど担当替えをしてるのかな。なかにはりりちゃんの作ったマニュアルの誤字、脱字をチェックしてあげていた担当もいるみたいです」

ホストが客の女性に風俗勤務を勧めることはよくある話だが、渡邊被告の場合は、それがマニュアル作成だったのだろう。実はいま、歌舞伎町ではこうした情報商材ビジネスが流行っているのだ。マニュアル販売者らには「SNSに、稼げていて派手に遊んでいるような投稿を繰り返している」「自己流の〝パパ活&頂き〟テクニックを発信している」という共通点がある。……が、マニュアルのクオリティは人によってバラつきがあるという。

風俗嬢のユキ（仮名・19）はとある女子がSNS上で販売していたマニュアルを購入した。

「読んでみたら、なんか日本語が変だし、こんなん全員に通用しないだろ（笑）みたいな内容でガッカリしました。購入後のLINE個別相談にも課金したけど、全然返信がないし……。カネをドブに捨てましたね」

パパ活やその延長の性サービスなど、目に見えない個人スキルがモノを言う風俗産業では常にマニュアルが存在する。

「スカウトマン経由でデリヘルに勤めた際、『この店は表と裏合わせて10万円は絶対超える鉄板店です』って言われたんです。『裏ってなんですか？』ってきいたら、本番行為でお金をもらうことでした。それをスカウトが勧めるのってどうなの？と思いつつ、『交渉の仕方がわからない』って返したら、他のデリヘル嬢が書いたマニュアルが送られてきました。どうやって本番行為を誘ってお金をもらうか、って内容だったんですけど……。文体も熱血だし、テクニックも細かくて、1000円でも多くかすめ取ってやろう！って気迫がすごかったです」（ユキ）

りりちゃんとホストの関係同様、こうした風俗でのテクニックマニュアルも女の子とスカウトマンが結託し、組織的に運用されるケースがある。スカウトマンはノウハウを手に入れ、マニュアル作成者はそのマージンをもらう。「このスカウトマンにお仕事を依頼すれば、通常5000円のマニュアルを無料でプレゼントします！」と、お互いに儲けようとするのである。

こうしたマニュアルが次々に生まれる背景として、「X」（旧「ツイッター」）などに投稿できる「質問箱」がある。大金を稼ぎ出したと投稿すると、他の〝頂き女子〟見習いから「おぢから30万円引くってなったら、○○ちゃんはなんて言いますか」「どのパパ活アプリ使ってますか？」など大量に質問が来るのである。質問に答えるうちにカリスマと崇《あが》められ、最終的に「こんなに人気ならまとめてマニュアルにして売ればいいのでは……？」と情報商材ビジネスに発展していく。

承認欲求も満たせるうえにお金も稼げるマニュアル商法。先日国会で、悪質なホストクラブの売掛問題とともにホストの営業マニュアルも取り上げられていたが、こうしたマニュアルに規制が入る日は来るのだろうか。

おわりに

本書を作成するにあたり、連載原稿を読み返した私と担当編集が一番多く口に出した言葉が、「あったな〜」であった。連載を開始して約2年。歌舞伎町とともに時事ネタを振り返り、懐かしさを覚えつつ当時の世相を見ると、ずいぶん前に取り上げた「頂き女子」が最近の流行語大賞に選ばれるなど、歌舞伎町発の文化の広がりに驚く。

本書では歌舞伎町で起きた事件から、そこで生きる人の特徴、そしてホストクラブや海外出稼ぎ、パパ活などが流行る「歌舞伎町の仕組み」そのものを解き明かしてきた。

そもそも、根本的なお金の流れや需要と供給自体はさして昔から変わっていない。路上の街《がい》娼《しょう》が行う売春を「立ちんぼ女子」「交縁女子」と呼んだり、援助交際を「パパ活」、色恋とメサイアコンプレックスを刺激して大金を騙し取る詐欺行為が「頂き女子」など、これらはあくまで呼び換えられているにすぎない。こうしたカジュアルな言葉を生み出し、キャッチーだからこれ幸いとメディアが乱用したことで、結果「私がやってるのは援助交際じゃなくて、パパ活だし」「お金を騙し取ってるんじゃなくて、信頼関係を築いておぢに楽しい時間を与えた対価だし」なんて、都合のいい言葉で逃げられる土壌が生まれてしまったのではないだろうか。

そもそも古来、色恋での傾城《けいせい》なんてよくあったことだし、酒と色欲と薬物に溺れるなんて歴史を見れば明らかである。それをさも「最近の最新の出来事！」と騒ぎ立てるのは違和感を覚えずにはいられないのだ。とはいえ、グレーな稼ぎ方やOD、リストカットをする人は、「ヤバいやつ」扱いを受けることが明白なので、昔はひっそりと行われてきたのだろう。しかしSNSありきの現代、そうした「ヤバさ」は〝バズり〟につながる。「悪名は無名に勝る」とばかりに、逮捕されて本名がフルネームで全国に知れわたり釈放された後、本名のハッシュタグをつけ、見つけてと言わんばかりにSNSに投稿を繰り返す。頂き女子の事件でも、渡邊被告をはじめとした「頂き&パパ活」界隈の女子は、SNSに札束の写真をあげていたり、男性からカネを騙し取る際のテクニックを質問されて嬉々《きき》として回答したりしていた。そんなゆがんだ承認欲求を受け入れてくれる魔の空間が歌舞伎町と言ってもいいのかもしれない。

そんな魔空間は、実はあなたたちの目の先まで手が伸びている。酔った勢いで大久保公園に行ってついつい買春するかもしれないし、マッチングアプリで出会った女の子が実は頂き女子かもしれない。毎日笑顔で学校に通う息子はSNSでトー横界隈に所属しているかもしれないし、友人の密かな趣味はホストのYouTube鑑賞かもしれない。「何者かになりたい」「誰かに認められたい」「非日常でバカみたいに騒ぎたい」「もう日常に戻りたくない」……。そんな誰しもが少しばかり抱えている欲望を、街と酒と異性のせいにして金さえ使えば、ある程度容認されてしまうのが歌舞伎町である。この街はいつでも、あなたを否定せずに待っている。

佐々木チワワ（ささき・ちわわ）

2000年、東京都生まれ。小学校から高校までを都内の一貫校で過ごし、現在は慶應義塾大学に在学中。高校1年生の大晦日に初めて歌舞伎町に足を踏み入れる。以来、歌舞伎町で働く夜職の人々に惹かれ、自身も一通りの職種と幅広い夜遊びを経験。アクションリサーチとフィールドワークをもとに歌舞伎町の社会学を研究する。著書に『「ぴえん」という病　SNS世代の消費と承認』（扶桑社）『歌舞伎町モラトリアム』（KADOKAWA）がある。

ホスト！　立《た》ちんぼ！　トー横《よこ》！

オーバードーズな人《ひと》たち

～慶應《けいおう》女子《じょし》大生《だいせい》が歌舞伎町《かぶきちょう》で暮《く》らした700日間《にちかん》～

2024年２月26日　第１刷発行

著　　者　佐々木《ささき》チワワ

発 行 者　清田則子

発 行 所　株式会社講談社

〒112-8001 東京都文京区音羽 2-12-21

電話　出版 03-5395-3440

販売 03-5395-3606

業務 03-5395-3615

KODANSHA

本文データ制作　土屋亜由子（井上則人デザイン事務所）

印 刷 所　TOPPAN株式会社

製 本 所　大口製本印刷株式会社

ISBN978-4-06-534376-0